KB196848

나도 한번은
발트 3국 · 발칸반도

나도 한번은
발트 3국 · 발칸반도

여행설계자
박윤정의
여행 안내서

글 사진 · 박윤정

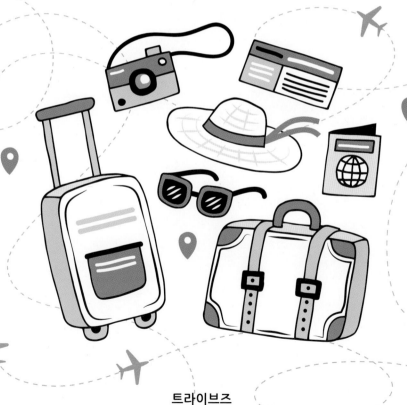

트라이브즈

2002년 MINT TOUR라는 여행사를 설립하고 2022년을 맞이합니다.
여행을 떠나고 싶어 멋모르고 여행업에 뛰어들었고
여행이 좋아 오늘을 살고 있습니다.
떠나면서 새로움을 꿈꾸고 돌아오면서 희망을 간직합니다.
지난 시간 동안 수많은 인연으로 행복을 건네준
모든 분들에게 감사드리며 작은 경험을 공유합니다.
새롭게 다가올 또 다른 날이 어서 오기를 바라며 ….

박윤정

여행에 관한 일반적 통념 벗어야
여행이 더 풍요로워져

민트투어 박윤정 대표와 두 번째 책 작업을 하게 됐다. 첫 책 《나도 한번은 트레킹 페스티벌 크루즈》를 준비하면서 우리는 다음 책에 대해서는 생각한 바가 없었다. 첫 책을 내겠다고 했을 때 생각이 난다. 코로나 팬데믹으로 여행길이 꽉 막혀 있는데 여행책을 왜 내려고 하냐고 물었더니 이렇게 대답했다. "20여 년 해온 일이 갑자기 멈춰버렸어요. 그 시간을 의미 없이 보내고 싶지 않아요."

우리는 살면서 많은 말을 하지만, 말은 종종 이면의 무수한 것들을 담아내기에 역부족일 때가 많다. 그 말이 가진 절실함을, 그로 살지 않은 내가 제대로 알기 어려웠단 반성을 두 번째 책을 위해 인터뷰를 하면서 새삼 하게 됐다.

첫 번째 책 내고 1년이 지났다. 두 번째 책을 출간하게 됐는데 어떤 느낌인가.

그동안의 기억을 정리해서 첫 책에 담고 한 일년쯤 지나면 일상으로 복귀할 수 있을 줄 알았어요. 당연히 첫 책이 마지막 책이라고 생각했고요. 책을 낸 건, 이 코로나 시기를 코로나 때문에 힘들었다는 기억만으로 남길 원하지 않아서였어요. 코로나로 힘들었지만 의미 있는 일을 하며 견뎌냈어, 라고 기억하고 싶었어요. 한 해를 보내고 새로운 4월이 오면 코로나가 정리될 거라고 생각했거든요. 하지만 코로나는 계속됐고, 다시 1년을 보내게 됐고, 코로나 두 번째 해를 어떻게 기억할까, 하다가 다시 책을 내야겠다고 마음먹었죠.

이번 책은 발트 3국과 발칸반도 여행을 담았다. 그동안의 모든 여행을 이 두 권의 책이 포괄한 건가.

그런 의미는 아닙니다. 첫 책의 바람은 단순했어요. 자신에게 여행이란 어떤 의미인지, 그리고 나는 어떤 여행을 좋아하는지 스스로 물어보는 계기 같은 게 되면 좋겠다고 생각했어요. 여행의 의미가 무엇이다, 라고 간단하게 정의내리기는 어려워요. 언제, 누구와 어딜, 어떻게 가느냐에 따라 여행의 의미도 달라지죠. 그리고 첫 책에서 여행의 목적에 따라 트레킹, 크루즈, 페스티벌 이렇게 카테고리를 나눴지만, 읽기 쉽게 하려는 임의적 분류예요. 여행을 카테고리로 분류하는 것은 별로 의미 없는 일이에요.

어떤 나라에 가든 자연이 있잖아요. 산도 있고, 강도 있고, 바다도 있고. 그뿐만이 아니라 그곳의 문화가 있고, 역사가 있어요. 이것들이 다 어우러져 있죠. 한 나라를 여행한다고 생각해보세요. 그 나라의 산을 가면 트레킹이 되는 것이고, 도심에서 펼쳐지는 음악을 즐기면 페스티벌이 되는 거고, 강이나 바다를 따라 여행하면 크루즈가 돼요. 다시 말해서 트레킹이, 크루즈가, 페스티벌 참가가 목적일 수는 없다는 거예요. 여행은 그보다 훨씬 종합적이고 포괄적인 활동이에요.

그의 설명을 듣고 보니, 그동안 내가 여행이란 걸 너무 좁은 의미로 생각해온 거 같다.
첫 책의 분류는 사람들이 여행에 대해 조금 더 쉽게 다가가길 바라는 마음에서였어요. 책을 읽으면서 내가 자연이 만들어낸 경이를 좋아하는 사람인지, 인간이 만들어낸 문화를 더 좋아하는 사람인지 가늠해보길 바랐어요. 여행 유형도 마찬가지죠. 누구는 패키지여행을 즐기고, 누구는 혼자 떠나는 여행을 좋아하고, 누구는 에코투어리즘처럼 새로운 목적을 띤 여행을 하고자 해요. 물론 어딜 가고 무얼 하는지에 따라 여행의 이름을 붙일 수는 있어요.
하지만 여행을 위해 한 나라를 찾는다고 상상해보세요. 어떤 나라든 도시든 그곳에는 오랜 문화와 역사, 자연이 있어요. 애초에 계획한 어떤 목적이 있다고 해서 딱 그것만 하는 건 아니잖아요. 우리의 발길이 닿는 곳에서 우리는 총체적으로 보고 느끼고 경험하게 되죠. 여행의 목적, 범주에 얽매이지 말고 마음을 열고 찬찬히 둘러볼 때 훨씬 풍부하고 다양한 여행이 될 거예요.

첫 책의 의미를 새삼 다시 알게 됐다. 이번 책에는 발트 3국와 발칸반도 여행을 정리했는데, 특별한 이유가 있나.

일반적으로 유럽 여행이라고 하면 서유럽을 떠올리는 경우가 많죠. 아니면 방송을 비롯한 미디어에서 자주 다루는 동유럽 몇 나라가 대부분이에요. 이번엔 아직 우리에게 좀 낯설고 덜 알려진 지역을 선택해 봤어요. 특히 이번 책에서 소개한 발트 3국와 발칸반도의 경우에는, 역사적으로도 큰 울림이 있는 지역이에요.

특별하게 타이틀을 붙이지는 않았지만, 이곳의 많은 나라들은 고대는 물론이고, 중세, 최근의 현대에 와서까지 고통스러운 전쟁을 겪어냈어요. 이들 국가의 구성원들은 크고 작은 전쟁의 포화 속에서 세계적으로 인정받는 소중한 문화유산을 지켜내는 한편, 삶의 뿌리를 단단하게 내려 공동체를 발전적으로 유지하고 있어요. 그 모습을 보면서 뭔가 뜨겁고 뭉클한 감정을 느꼈어요. 또한 인간이 만들어낸 역사가 어떻든, 무심한 듯 건재한 자연이 너무나 아름다웠어요.

발트 3국도 좀 생소하다.

발트 3국은 발트 해 남동 해안에 있는 에스토니아, 라트비아, 리투아니아 3국을 말해요. 이곳 역시 이민족의 침입도 잦고, 강대국의 지배를 받아온 곳이에요. 그러다 18세기에는 러시아 영토에 편입됐고, 나중에 소련에 합병됐어요. 그 후 1991년 소련연방이 무너지면서 독립을 해서 자본주의 체제에 편입된 지 얼마 안 된 나라들이에요.

이들의 역사를 이렇게 짧게 요약했지만, 소련 연방에 속했던 여러 나라들이 독립을 이뤄 최근에 자본주의 국가를 세웠어요. 그들이 자유를 지키기 위해 어떻게 투쟁해왔는지, 그들의 역사가 삶 속에 녹아 있어요. 자연과 문화라는 게 혼자 생겨나는 게 아니니까요. 그 모든 것들이 다 그 안에 있는 거죠.

발트 3국을 겨울에 다녀왔는데, 특별한 이유가 있나.

대부분 여름에 관광을 갈 거예요. 겨울에는 너무 춥거든요. 어느 곳이 어떤 계절이 좋다는 공식 같은 건 없다고 생각해요. 예를 들면 아이슬란드는 겨울에 가는 게 좋다, 라고 말하는 사람이 있지만, 사람마다 다 다를 수 있거든요. 이렇게 생각해보세요. 만일 누가 한국은 어떤 계절에 가는 게 좋냐고 묻는다면 단정해서 말하기 어려울 거예요. 한국의 봄, 여름, 가을, 겨울의 느낌이 다 다르니까요.

저는 그곳의 겨울을 만나고 싶었어요. 칼바람이 불어서 영하 몇십 도까지 내려가지만, 설원이 아름답게 펼쳐지고, 흰 눈이 태양에 반사돼 반짝반짝 빛나는, 발틱의 겨울을 보고 싶었거든요. 본래 이곳은 러시아의 여름 휴양지였어요. 러시아 내륙에서 봤을 때 이 지역은 상대적으로 따뜻한 곳이었으니까요.

발트 3국도 낯설지만 발칸반도의 여러 나라들은 이름마저 생소했다. 마케도니아 공화국이라는 나라가 있는 줄도 몰랐다.

불가리아, 루마니아, 슬로베니아 같은 나라는 그래도 이름을 들어봤을 거예요. 하지만 몰도바나 유고슬라비아 연방에 속해 있던 보스니아 헤르체고비나, 몬테네그로, 세르비아, 코소보, 알바니아, 마케도니아 같은 나라들은 생소할 거예요. (마케도니아는 2019년 2월 북마케도니아 공화국으로 국명이 바뀌었다.)

발칸반도의 여러 국가는 역사적 고통을 겪어냈어요. 특히 유고슬라비아 연방에 묶여 있던 작은 나라들이 어렵게 독립을 이뤄냈지요. 많은 이들이 고통의 역사 속에서 삶을 살아내고, 현재를 살아가고 있다는 사실에서 잔잔한 감동 같은 걸 느꼈어요. 코보소 전쟁을 보세요. 내가 학생일 때 일어난 일인데 어떻게 21세기에 그런 일이 일어날 수 있을까 하는 생각을 했었거든. 세월이 흘렀고 이제 성인이 돼서 일상을 살아가면서 많은 부분이 무뎌졌지만, 뉴스에서만 들었던 그 참혹한 전쟁과 역사를 겪어내고 회복해서 현재를 살고 있다는 걸 보면서 많은 생각을 하게 되더라구요.

유고연방 이전에는 작은 왕국들이었어요. 이슬람 문화의 지배를 공통적으로 받기는 했는데, 이들 작은 왕국들이 역사적이고 정치적인 이유로 부침을 겪어왔죠. 크고 작은 전쟁을 치르며 합쳐지기도 했고요. 그래도 모두 저마다의 색깔을 가지고 있었는데 유고 연방에 묶여 사회주의 체제 아래 특유의 색채를 숨기며 지내야 했지요. 그러다 다시 유고 연방 해체 후 각각 독립 국가를 이루게 됐는데, 그 깊은 곳에 큰 상처를 안고는 있지만 모두 저마다 의연하게 자신들의 정치와 철학, 문화를 독특하게 일구며 현대를 살아가고 있죠.

발칸, 세 문화의 꽃이 그대로

그곳에 가보니 중세부터 이어진 이슬람, 기독교, 그리스정교, 세 문화의 꽃이 그대로 남아 있어요. 너무너무 평화롭고, 예술적 가치 또한 매우 뛰어나요. 예를 들면 우리가 서유럽을 가거나 하면 몇백 년 전, 우리나라의 경우 조선왕조 500년이라고들 하잖아요. 근데 그곳엔 몇천 년의 역사가 살아 있어요. 문화의 힘이 정말 어마어마하다는 걸 느낄 수 있어요.

또 이들 나라들이 큰 전쟁을 많이 겪어서 경제적으로 풍요롭지 못할 거라고 짐작했는데, 굉장히 잘 사는 거예요. 햇살이 강렬하고 해가 긴데 오후 네 시 되면 일을 끝내고 가족들과 해변에서 너무 즐겁고 평화로운 시간을 보내는 거예요. 게다가 자연환경이 좋아서 과일도 많고 음식도 넘쳐나고, 사람들의 얼굴에 웃음이 가득해요. 물가도 저렴하고요.

코소보의 경우도 놀라워요. 내가 학창 시절에 봤던 코소보는 피비린내나는 전쟁을 겪은, 슬픈 역사를 가진 나라인데, 자원이 풍족해 서유럽 자본들이 모여서 완전히 새로운 현대적인 도시로 탈바꿈했어요. 전쟁의 흔적은 찾아볼 수가 없을 정도로요. 이 깨끗하고 아름다운 도시 위에 새로운 문화와 과거의 유산이 결합돼서 신생 국가가 됐죠. 또 전쟁으로 많은 사람이 죽고, 지금은 베이비부머 시대를 맞아 넓은 광장에 어린 아이들의 웃음소리가 끊이지 않아요.

발칸반도의 여러 나라 얘기는 계속됐다. (여기에 다 정리하지 못한 얘기는 책에서 확인하길 바랍니다.) 혹시 우리나라의 해외여행 풍토 중에 못마땅한 점이 있는지.

그런 건 없어요. 마음에 들고 안 들고의 문제가 아니고, 우리 상황이 좀 다른 거죠. 일단 우리나라는 섬이나 마찬가지잖아요. 여행을 가려면 배를 타거나 비행기를 타야 하죠. 이 말은 이동을 위해 많은 비용을 지불해야 한다는 건데, 그게 쉬운 일은 아니거든요. 다른 나라를 여행하는 일이 자연스럽기가 어렵다는 뜻이기도 해요. 경험을 얻기 위해 많은 시간과 비용을 지불해야 하니까요.

유럽 국가들에서는 여행 경비가 부족하면 배낭을 매고 걸어서라도 갈 수 있지만 우리는 그럴 수 없잖아요. 여행 경험에 시간과 비용이 많이 드니 경험을 쉽게 축적하기가 힘들고, 모든 사람에게 공평하게 그 기회가 주어지질 않아요. 여행 기회가 많지 않고 시간도 많지 않으니까 어쩔 수 없이 전문가에게 맡기게 되고, 그래서 더더욱 자신의 취향을 알기가 어렵고 여행을 가려는 사람들의 눈높이에서 그들을 이해하고 그들이 진짜 원하는 정보를 제공하는 일이 쉽지가 않은 거죠. 그래서 한국의 해외여행 관행에 대해 불만은 전혀 없고요, 이런 안타까움을 많이 느껴요.

마지막 질문. 사람들은 자신이 하는 일에 대해 보람을 느낀다. 자신에게 충족감을 주고, 내가 이 일을 하는 게 좋은 이유들이 있을 것이다.

여행 준비를 할 때 사람들은 무거운 고민이나 슬픔이 아니라 즐거운 희망에 부풀어 있어요. 의사들은 아픈 사람들을 만나고, 변호사는 골치 아픈 일을 겪는 사람들을 만나죠. 하지만 저는 여행을 떠나고자 하는, 즐겁고 행복한 기운을 가진 사람들을 만나요. 그게 참 좋아요.

그들의 기대를 충족시켜주기 위해 난 무엇을 해야 할까 고민하는 게 제 일이에요. 내가 조금 더 신경 쓰고, 더 고민하면 그들의 행복을 배가시킬 수 있으니까요. 한정된 비용과 시간 안에서 어떻게 정리했을 때 가장 이상적인 여행 설계가 될까, 이것이 저희 민트투어가 풀어야 할 숙제인 거죠.

한 가지, 아쉬운 건 있어요. 똑같은 장소에서 비슷한 경험을 한두 번 하고 나면 조금 선택을 달리했을 때 그 결과가 무엇인지 알 수 있는데, 한국 사람들은 그 경험을 많이 쌓지 못해서 원하는 것을 찾아내는 게 쉽지 않을 때가 있어요.

민트투어 박윤정 대표는 이상적인 여행 설계에 대해 덧붙여 말했다. 여행을 준비하는 이들과 잘 소통해서 그들의 취향을 알아내고, 함께 의논해 그들이 꿈꿔온 여행을 만들어내는 것이라고. 그들에게 그 여행이 어쩌면 일생에서 처음이거나 마지막 경험일 수 있다는 작가의 지나가는 말에서 '진심'이라는 단어가 떠올랐다.

인터뷰 · 정리_ **김지나** 월간 유레카 대표

| 차례 |

발트 3국 '유럽의 숨은 보석'

발칸반도 '낯익은, 혹은 낯선 나라들'

발트 3국
유럽의 숨은 보석

발트해 남동쪽의 세 나라, 리투아니아, 라트비아, 에스토니아를 발트 3국이라 부른다.
서쪽으로는 폴란드, 동쪽으로는 러시아와 국경을 맞대고 있는 작은 국가들이다.
발트 3국은 우리에게 꽤 생소한 나라들이다.
발트(Balt)'의 어원은 '희다'라는 뜻이다. 육지에 둘러싸여 파도가 크게 일지 않고
염분이 적어 겨울 동안 바다가 얼어붙는다.

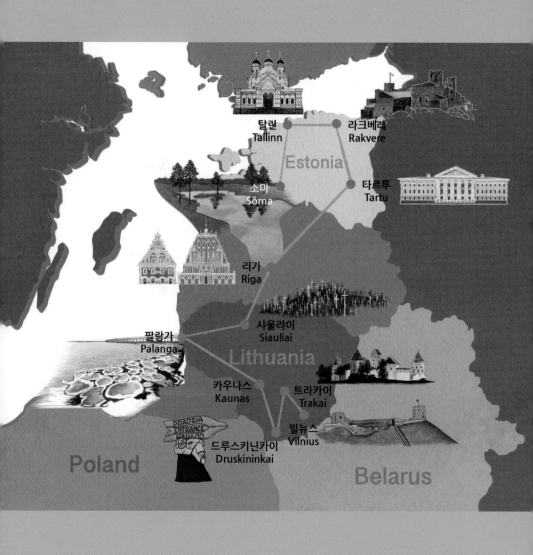

탈린
Tallinn

라크베레
Rakvere

Estonia

소마
Soma

타르투
Tartu

리가
Riga

샤울랴이
Siauliai

팔랑가
Palanga

Lithuania

카우나스
Kaunas

트라카이
Trakai

빌뉴스
Vilnius

DRADZIA
ENTRANCE
MAUGO

드루스키닌카이
Druskininkai

Poland

Belarus

발트 3국의 매력은
겨울이 제격

유럽은 좁은 대륙 안에 수많은 나라와 민족이 경쟁하고 협력하면서 세계사의 흐름을 주도해 왔다. 그리스에서 시작해 로마에서 꽃을 피웠고, 중세 암흑기를 지나 대항해시대를 통해 전 세계로 확장됐다. 제국주의를 기반으로 모든 대륙을 지배하고 두 번에 걸친 세계대전으로 지금의 세상을 만들어냈다.

이 과정에서 인류문화의 정수가 유럽에 볼모로 잡혀갔으며, 아이러니하게도 침략과 약탈이 더 풍성한 문화의 밑거름이 됐다. 오늘날 우리 삶을 지배하는 정치와 경제 시스템이 유럽을 고향으로 하고 있으며, 음악과 미술을 비롯한 예술 분야는 물론, 철학과 이념의 상당 부분 또한 유럽의 영향을 받았다. 그 결과 이 작은 대륙은 다양한 볼거리와 이야깃거리로 가득 찼으며 전 세계 관광객을 불러 모으는 최대 관광지가 됐다. 지중해의 낭만적인 기후와 함께 그리스와 로마에 산재한 고대의 흔적이 여행자를 유혹한다. 화려한 궁전과 거대한 건축물, 박물관과 미술관을 가득 채운 수많은 예술품은 며칠을 둘러보아도 질리지 않는다.

하지만 우리의 삶이 그렇듯 화려함과 낭만이 유럽의 전부는 아니다. 유럽의 번잡한 관광지에서 잠시 눈을 돌리면, 강력한 국가와 민족들 틈바구니에서 자신만의 문화를 지키며 생존해 온 아름답고 자긍심 강한 사람들을 만날 수 있다. 화려하지는 않지만 소박한 아름다움으로 가득한 숨겨진 보석 같은 여행지들이 유럽의 한 부분을 차지하고 있다. 이제부터 여행할 발트 3국은 유럽 역사의 중심에 있진 않지만 슬라브 문화와 게르만 문화의 틈바구니에서 자신만의 문화를 지켜온 자긍심 강한 나라들이다.

전 세계가 실시간으로 연결되는 시대에 살고 있지만 리투아니아, 라트비아, 에스토니아로 이루어진 발트 3국은 우리에게 생소한 나라들이다. 발트해(Baltic Sea)는 스칸디나비아 반도가 감싸고 있는 유럽 북부의 바다다. 발트해는 노르웨이와 덴마크가 마주 보는 스카게라크 해협을 지나 핀란드와 러시아로 이어져 있다. 'Balt'의 어원에는 '희다'라는 의미가 있다. 육지에 둘러싸여 파도가 크게 일지 않고 염분이 적어 겨울의 서너 달 동안 바다가 얼어붙는다. 거칠고 푸른 바다일 줄 알았던 발트해를 실제 마주하니 옅은 회색빛이 감도는 잔잔한 바다였다. 이곳 깊숙한 곳에 서쪽으로는 폴란드, 동쪽으로는 러시아와 국경을 맞댄 작은 국가들이 있는데, 바로 발트 3국이다. 이 나라들은 게르만, 스칸디나비아, 슬라브 등 유럽 주류 문화에 둘러싸여 있지만 발트어라는 독자적인 언어와 문화가 있다. 특히 가장 높은 산이라고 해봐야 해발 318m에 불과할 정도로 산지가 거의 없고 평야로 이뤄진 지역이어서 동서남북으로 진출하려는 국가의 외침이 잦았다.

외침에 시달리면서도 스스로를 지켜낸 발트 3국, 촛불 켜는 우리와 닮았다

발트 3국의 공동 역사는 독일계 '검의 형제 기사단(Sword Brethren)'이 기독교와 봉건주의를 가지고 들어온, 13세기경에 시작됐다. 그 후 덴마크, 스웨덴을 비롯한 스칸디나비아 국가들과 폴란드, 독일의 게르만족 국가들, 슬라브의 러시아 등이 이곳을 지배하기 위해 각축을 벌였다. 1582년에는 에스토니아 북부를 제외한 발트 3국 지역 전체가 폴란드와 리투아니아 연방의 지배하에 들어갔으며, 이후에는 러시아 제국의 지배를 받았다. 1차 세계대전이 끝나면서 발트 3국은 독

발트 3국의 매력을
제대로 느끼려면
겨울이 제격이다.

립국이 됐지만 다시 소련에 합병됐으며 2차 세계대전 땐 독일과 소련의 격전지로 시달려야 했다. 2차 세계대전이 끝나고 다시 소련에 합병된 후 1991년 소련이 해체되면서 비로소 독립국가의 지위를 되찾을 수 있었다.

　발트 3국은 소련으로부터 독립하는 과정에서 큰 고초를 겪으면서도 전 세계에 잊을 수 없는 감동을 선사했다. 1989년 8월 23일 에스토니아의 수도 탈린에서 라트비아의 수도 리가까지 남북에 걸쳐 600㎞에 달하는 길을 평화를 염원하며 200만 명의 시민들이 인간띠를 형성했다. 이날은 1939년 8월 23일 스탈린과 히틀러가 독소 불가침 조약을 체결함에 따라 발트 3국이 소련에 편입된 지 50주년이 되는 날이었다. 자유를 갈망하는 인간사슬은 독립과 인권을 위한 비폭력 투쟁의 상징이 되었으며 이들이 함께 부른 노래는 2009년 유네스코 세계기록유산에 등재됐다.

　잦은 외침 속에서도 자신의 문화를 지켜오고 저항을 위해 폭력이 아닌 연대와 노래를 선택한 발트 3국의 역사는 추운 겨울 광장에 모여 촛불을 들었던 우리와 많이 닮았다. 정치가 어수선한 요즈음, 조용한 대지 위에 햇살 가득한 하얀 세상이 문득 떠올랐다. 매일 반복되는 뉴스와 뿌연 하늘을 보니 발트 연안의 상쾌한 겨울 하늘이 그립다. 눈을 감으니 낯설지만 너무도 아름다운 자연, 고풍스러운 도시들, 그 속에서 소박한 삶을 일궈가는 강인한 사람들.

　발트 3국은 유럽의 북쪽에 위치해 겨울이 춥고 길다. 그러나 발트 3국의 매력을 제대로 느끼려면 겨울이 제격이라는 생각에 주저 없이 짐을 쌌다. 하얀 바다(발트해)를 끼고 아름다운 겨울이 그림처럼 펼쳐져 있을 것이다.

　발트 3국인 에스토니아, 라트비아, 리투아니아는 세로로 위치해 있다.

　이번 여행은 남쪽의 리투아니아에서 시작해 북쪽으로 올라가기로 했다. 아쉽게도 발트 3국 직항 항공기는 없다. 유럽의 대도시를 경유해야 한다. 핀란드의 헬싱키공항을 경유한 비행기가 열세 시간 만에 리투아니아의 수도 빌뉴스 공항에 착륙했다.

Lithuania
리투아니아

라트비아
Latvija

팔랑가
Palanga

샤울라이
Siauliai

리투아니아
Lithuania

클라이페다
Klaipeda

카우나스
Kaunas

러시아
Russia

빌뉴스
Vilnius

트라카이
Trakai

드루스키닌카이
Druskininkai

폴란드
Poland

벨라루스
Belarus

수도 빌뉴스
생애 최고의 한파,
발트 3국 여행은 그렇게 시작됐다

영하 20도, 체감 온도는 가늠할 수 없다. 피부가 아려오는 매서운 칼바람을 맞으며
공항을 나서니 시가지는 흰눈으로 덮인 '겨울왕국'이다. 발트 3국 중 가장 영토가 넓으
며 지리적으론 유럽의 중심인 나라, 리투아니아. 독일·소련의 지배에서 벗어나 1991
년 독립한 이 나라는 국민 80%가 리투아니아인으로 독자적 문화를 조성했다.

헬싱키를 떠난 비행기는 발트의 남쪽 나라 리투아니아의 수도 빌뉴스 공항에 착륙을 시도한다. 시간은 오후 다섯 시 삼십 분, 예정된 시간에 도착했다. 해가 일찍 떨어진 탓에 창밖은 벌써 어두컴컴하다. 이곳의 겨울은 다섯 시면 해가 진다. 창밖으로는 눈이 하염없이 내리고 있다. 하얀 눈이 펑펑 내리는 것이 아니라 회색빛 눈발이 강한 바람과 함께 휘몰아치고 있다.

익숙하지 않은 언어의 안내방송을 들으며 짐을 찾기 위해 게이트로 나선다. 리투아니아의 공용어는 리투아니아어다. 인도유럽어족 발트어파에 속하는데, 라트비아어와 리투아니아어가 여기에 속한다. 러시아어는 공용어가 아님에도 과거 소련 지배의 영향으로 인구의 과반수가 사용할 줄 안다. 낯선 계열의 언어는 물론 러시아어도 익숙하

지 않은 탓에 안내표지판도 읽기 힘들었다. 이럴 때는 대세를 따르는 것이 현명하다. 사람들의 흐름에 몸을 맡기면서 이동했다.

공항에서 짐을 기다리는 승객은 우리 비행기를 타고 온 탑승객들뿐이다. 북적이지 않고 한적하다. 동양인이 낯설어서인지 짐을 기다리는 리투아니아 부부가 말을 걸어왔다. 그들은 북경에 있는 딸을 보고 집으로 오는 길이라고 한다. 한국에서 왔다고 하자 이렇게 먼 곳까지 여행을 왔느냐며 놀라워한다. 북경에서 이곳까지 비슷한 여정이었던 본인들의 피곤함이 생각나서인지 여행을 시작하는 나를 안쓰러워했다. 더군다나 이런 날! 오늘은 폭설로 모든 항공이 취소되고 유일하게 우리 비행기만 착륙했다고 한다. 일반적으로 리투아니아의 겨울은 영하 5~15도인데, 오늘의 매서운 폭설과 한파는 예외적인 경우라고 한다. 여행의 첫 발은 영하 20도의 혹한 속, 흰 눈을 밟으며 시작했다.

입국 수속을 마친 후 예약해둔 렌터카 업체 직원을 찾았다. 그를 따라 공항 밖으로 나섰다. 태어나 처음 경험해 보는 바람과 체감 온도. 세상에 이런 날씨가 있다니 실감이 나지 않는다. 피부가 아려오는 매서운 칼바람을 맞으며 주차장인지 도로변인지 알 수 없는, 공항 건물 바로 앞에서 키를 받았다. 나란히 주차된 몇 대의 차들은 눈에 파묻혀 형체만 겨우 알아볼 수 있었다. 차량 네비게이션에 호텔 주소를 입력해 달라고 렌터카 직원에게 부탁한 뒤 시동을 걸었다.

유럽의 지리적 중심지, 리투아니아

리투아니아(리투아니아어로는 '리에투바'라고 한다)는 북유럽에 있는 공화국이다. 공식 명칭은 리투아니아 공화국이다. 수도는 빌뉴스로 이번 여행에서는 현재의 수도와 과

위_ 리투아니아—폴란드 연합국을 이룩한 요가일라공작의 아들, 카지미에라스의 이름을 딴 성당의 야경
아래_ 빌뉴스는 유네스코의 세계문화유산에 등재된 도시로, 역사적 가치가 높다.

거의 수도 카우나스를 모두 방문할 계획이다. 동쪽과 남쪽은 벨라루스, 서쪽은 발트해, 북쪽은 라트비아에 닿아 있다. 남서쪽으로는 러시아 본토에서 떨어져 있는 칼리닌그라드주와 폴란드에 면해 있다.

리투아니아는 '유럽의 지리적 중심지'이기도 하다. 1989년 프랑스 지리원에서 리투아니아의 빌뉴스 근처를 유럽의 중심이라 발표했다. 그 자리에 유럽연합(EU) 가입국 국기와 기념비를 세워 놓았지만 아직 덜 알려진 듯하다. 정치적으로 서유럽과 동유럽을 가르는 기준에서 보면 리투아니아는 동유럽에 속한다. 그러나 지리적으로 유럽을 아시아와 구분하는 우랄산맥 기준에서 보면 유럽 대륙의 지리적 중심지에 리투아니아가 있고, 유럽 주요 국가들은 리투아니아 서쪽에 위치해 있다. 동쪽으로는 광활한 러시아가 자리 잡고 있다. 리투아니아를 비롯한 발트 3국은 슬라브족과 게르만족이 동서로 진출하는 요충지에 자리 잡고 있다. 외세의 지배를 오랫동안 받아온 이유 중 하나다.

리투아니아는 18세기 말 폴란드 지배에 놓였다가 폴란드가 분할되면서 러시아 제국에 합병됐다. 1차 대전 때 독립했으나 1940년 다시 소련에 강제 합병됐다. 1941년부터는 2차 대전을 일으킨 독일의 지배를 받다가 1944년 다시 소련군에 점령되면서 소비에트 연방공화국의 일원이 됐다. 1991년 8월, 소련의 쿠데타 실패 후 독립을 선언했고 9월에 독립을 인정받았다.

리투아니아는 발트 3국 중 인구가 가장 많고 영토도 가장 넓다. 우리나라의 약 3분의 2 정도의 면적으로 국토의 약 70%가 평야다. 나머지는 숲과 크고 작은 4,000여 개의 호수로 이루어져 있다. 민족 구성은 리투아니아인이 83%로 대다수를 차지해 독자적인 민족 문화를 형성하고 있다.

다행히 빌뉴스 국제공항에서 예약한 호텔이 있는 시내까지는 약 7㎞ 정도의 거리다. 차량통행도 많지 않고, 운전석과 진행 방향도 우리나라와 같아서 걱정한 것에 비해 쉽게 호텔에 도착했다.

아늑한 분위기의 호텔에 도착하니 금발 머리의 아름다운 여직원이 친절히 안내해 준다. 계단을 따라 2층 방으로 걸어 올라갔다. 창밖으로는 여전히 눈이 내리고 어두웠지만 짐을 정리하고 다시 내려왔다. 저녁식사 시간까지 여유가 조금 있어서 잠시 호텔 주위를 둘러보기로 했다. 넘어져도 일어설 수 없을 만큼 옷을 겹겹이 껴입은 채 호텔을 나섰다.

날씨 탓인지 인적이 드물고 상점의 문은 닫혀 있었다. 도시는 작고 아담한데 여러 갈래의 작은 길이 얽혀 있다. 시내 지도를 보며 내일 방문지의 위치를 대충 둘러봤다. 찬바람을 피해볼 양으로 모자를 눌러쓰고 호텔로 돌아왔다.

저녁은 현지식으로, 전통 빵과 비트 수프를 먹었다. 오이와 계란 등으로 요리한 리투아니아 수프는 러시아 음식과도 비슷했다. 수프에 크림을 더하니 보랏빛이 강하게 돈다. 따뜻한 수프에 얼었던 몸이 녹는다. 식사를 마치고 방에 들어와 옷을 갈아입었다. 간단한 가운을 걸치고 사우나로 다시 내려갔다. 이곳의 사우나는 유명하다. 우리처럼 뜨거운 물에 몸을 담그기보다 한증탕에서 몸을 데우는 것이 더 일반적이다. 추운 겨울 사우나의 열기로 피로를 풀고 첫날을 마감했다.

빌뉴스의 심장이라 불리는 대성당 광장의 야경

리투아니아
02

옛 수도, 트라카이
얼음 호수 너머
중세의 성에 닿다

잠에서 깨어나 창밖을 보니 아직 눈이 내리고 있다. 컴컴하다. 지난밤 추위에 떨다 사우나를 하고 잠자리에 들어서인지 편안한 수면이었다. 침대 옆에 둔 휴대전화를 들여다보니 새벽 여섯 시다. 한국 시각으로는 점심시간이 지나서인지 배가 고프다. 맞은 편 식당 건물을 보니 불이 켜져 있어 서둘러 식당으로 향했다. 직원이 첫 고객으로 들어선 낯선 동양인을 반갑게 맞이해준다.

정갈하게 차려진 테이블에 앉아 허기를 달래기 시작했다. 조금 지나니 사람들이 들어와 번잡스럽게 대화를 나누며 식사를 한다. 일행 중 한 사람이 동양인 여행자가 낯설었는지 어디서 왔냐며 말을 건넨다. 이 추위에 관광을 왔다 하니 호기심 가득한 얼굴로 이것저것 물어본다. 오늘 트라카이성을 방문할 예정이라고 하니 멋진 곳이라는 설명과 함께 자신들도 그곳에서 영화 촬영이 있다고 한다.

영화 촬영팀에게 트라카이에서 다시 보자는 인사를 남기고 빌뉴스 시내로 나섰다. 대성당 뒤편에 나지막한 성이 있고 리투아니아 국기가 펄럭인다. 빌뉴스로 천도한 게 디니마스 왕조가 조성했지만 지금은 성의 일부만 남아 있다. 대성당 광장에서 연결된 길을 따라 언덕길로 올라갔다. 해발 48m의 나지막한 성터에 자리 잡은 전망대에서는 빌뉴스 구시가지가 한눈에 펼쳐졌다.

해가 떠오르기 시작한다. 여덟 시의 늦은 일출시간 덕분에 여행의 첫 아침을 인상적으로 맞는다. 성에서 내려다보는 일출은 장관이다. 붉은 벽돌로 지어진 건물과 지붕들이 환하게 물들어가는 모습이 아름답다.

붉게 물들던 시가지가 환해지자 다시 시내로 돌아왔다. 구시가지를 따라 걷다 보니 예술가들의 거리라 일컫는 지역에 다다랐다. 빌뉴스 구시가지 지역과 빌넬레강 경계에 있는 이곳에 1997년 4월 1일부터 예술가들이 모여서 '우주피스 공화국'이라는 가상의 나라를 세웠다. 만우절에 세워진 가상의 나라이지만 매년 건국 기념행사를 연다고 한다. 예술가들의 자유로운 상상력에 절로 기분이 좋아진다.

빌뉴스의 볼거리가 모여 있는 구시가지는 삼십 분이면 산책하듯 대부분 둘러볼 수 있다. 구시가지를 돌아보고 호텔로 돌아와 근교를 다녀오기 위해 다시 채비했다. 오늘은 렌터카로 트라카이와 두르스키닌카이를 둘러볼 예정이다.

시간을 거슬러 옛 수도, 트라카이로

트라카이는 빌뉴스에서 28㎞ 정도 떨어진 곳에 있다. 수도를 빌뉴스로 옮기기 전 리투아니아의 수도였던 도시다. 수십 개의 호수와 울창한 숲이 어우러져 있으며 섬 가운데 서 있는 붉은 색상의 성곽이 환상적인 경관을 만들어낸다.

특히 지하수가 발원한 호수는 맑고 투명해 여름에는 수상 스포츠를 즐기는 사람들로 북적거린다. 그러나 겨울의 트라카이는 하얀 호수 위 붉은 벽돌 성이 평온하게 자리 잡은, 그림 같은 풍경을 품고 있다. 성에 가려면 호수를 가로지르는 다리를 건너야 하지만 한겨울에는 꽁꽁 언 호수 위를 걸어서 건널 수 있다. 얼음낚시를 즐기는 사람들 사이로 미끄러운 빙판을 조심스럽게 걸어가는데 저 너머 성 앞에서 영화를 촬영하는 사람들이 보인다. 아침 일찍 식당에서 만난 일행이 분주히 움직이고 있다. 14세기에 건설

빌뉴스로 천도한 게디니마스가 조성한 성

된 트라카이성은 중세의 분위기를 온전히 간직하고 있어서 중세를 배경으로 하는 영화나 드라마의 촬영지로 애용된다. 빌뉴스로 천도하기 전 수도였던 트라카이성은 1955년 대대적 보수공사로 전쟁의 흔적은 사라졌다. 하지만 그루타스 공원에는 소련 사상가들의 청동상이 서 있다. 소련에 지배당한 수치스러운 역사를 잊지 말자는 의미다.

중세의 복장을 한 영화배우들이 아니더라도 호수를 배경으로 서 있는 트라카이성을 보고 있으면 시간을 거슬러 기사와 성주의 시대에 들어선 듯하다. 성의 내부에는 중세의 모습을 엿볼 수 있는 다양한 유물이 전시돼 있다. 트라카이성은 여러 전쟁을 거치면서 파괴됐으나 1955년 대대적인 보수공사로 과거의 모습을 복원했다.

온천으로 지친 몸을, 예술로 지친 마음을 달래다

트라카이성에서 오전을 보내고 벨라루스와 폴란드 국경과 가까운 리투아니아 남부 네무나스강에 있는 온천 마을 드루스키닌카이로 향했다. 리투아니아, 폴란드, 벨라루스 3국이 국경을 맞대고 있는 이곳은 수천 년 전까지만 해도 바다였다. 축적된 소금기로 여러 질병을 치료하는 요양소로 이름이 알려졌다. 강변에 이르기 전에 보이는 초록색 건물이 드루스키닌카이에서 가장 유명한 치료원이다. 이곳의 사우나를 이용하려면 미리 예약해야 할 정도로 인기가 높다. 미처 예약을 못한 나는 사우나 근처 자그마한 식당에서 간단한 수프로 사우나 대신 몸을 데웠다.

이 도시에는 수많은 박물관과 미술관이 있다. 대부분 문이 닫혀 있지만 봄, 여름, 가을에 다양한 문화 행사가 열린다. '숲의 메아리'라는 지역을 방문했으나 눈 덮인 숲에서는 초록 빛깔을 찾을 수 없어 조금 아쉬움이 남았다. 가지 끝에 매달려 빛나는 어여

게디니마스 성터 전망대에서 바라본
빌뉴스 구시가지 전경

쁜 눈꽃송이로 허전함을 달래고, 그루타스 공원으로 향했다.

눈 덮인 하얀 벌판은 도로를 구분하기조차 힘들다. 큰길을 벗어나 어렵사리 공원 입구까지 도착했다. 주차장을 찾을 수 없어 매표소 앞에 차를 세우니 관리인이 나와 건너편으로 주차를 부탁한다. 눈이 쌓여 있어 후진을 하면 차가 눈에 파묻혀 바퀴가 헛돌 것 같다고 했더니 자기가 봐준다며 수신호를 보낸다. 역시나 불길한 예감은 맞았다. 바퀴는 헛돌고 시끄러운 소리를 내기 시작한다. 젊은 관리인이 한참 동안 차를 밀고서야 힘겹게 주차를 마치고 공원에 들어설 수 있었다.

리투아니아 남부 드루스키닌카이에 있는 그루타스 공원은, 리투아니아가 소련에 점령당했을 당시의 공산주의 선전물을 전시하고 있다. 소련에 지배당한 '수치스러운 역사'를 반복하지 않도록 다짐하는 교훈의 장으로 세워졌다고 한다. 공원 안에는 레닌, 스탈린, 마르크스 등 공산주의 지도자와 사상가의 조각상이 전시돼 있었다. 모두 당대의 결출한 조각가들이 만든 작품으로 예술성이 뛰어나다는 평가를 받고 있다.

수많은 조각품 가운데 동양인 모습을 한 조각상이 눈길을 끌었다. 설명을 보니 북한 공산주의자 소녀였다. 광대뼈가 솟은 친숙한 모습인데도 묘한 낯설음을 느꼈다. 같은 민족인데도 체제가 다른, 우리의 현실이 떠올라 많은 생각을 들게 했다.

리투아니아
03

제2도시, 카우나스
외세의 잦은 침략에도
자존심처럼 버틴 중세의 건축

아름다운 후기 바로크 양식의 성 프랜시스 교회

든든하게 아침식사를 했다. 따뜻한 물도 보온병에 채워두었다. 추운 날씨라 옷을 겹겹이 껴입고 빌뉴스를 떠날 준비를 한다. 인구 30만 명의 리투아니아 두 번째 도시 카우나스(Kaunas)로 가기 위해서다.

카우나스는 지리적으로 리투아니아의 중심부에 있는데 네무나스(Nemunas)와 네리스(Neris)라는 두 개의 큰 강으로 둘러싸여 있다. 카우나스는 방어에 유리한 지리적 이점 때문에 14세기 돌로 만든 거대한 성이 세워지면서 도시로 성장했다. 이후에도 카우나스성은 도시 방어의 중요한 기능을 수행해 왔다. 두 개의 강으로부터 보호받는 지리적 이점과 견고한 성 덕택에 도시는 급속도로 발전했으며 서유럽 무역 중심지로 성장했다. 하지만 독일의 침공과 2차 대전, 소련의 지배가 이어지면서 리투아니아는 1991년 다시 독립하기까지 오랜 암흑기를 보내야 했다. 하지만 카우나스는 큰 고초를 이겨내고 독립과 함께 문화적·경제적으로 리투아니아 제2의 도시로 발전했다.

빌뉴스에서 출발해 파란 하늘을 제외하고는 모두 하얀 눈으로 뒤덮인 세상을 바라보며 한 시간 삼십여 분을 달렸다. 카우나스 시내에 들어서 길가 주차공간에 차를 세워두고 주차 티켓 발급기에서 이리저리 주위 눈치를 살폈다. 때마침 건너편 주차하는 차량이 있어 운전자에게 물어보니 친절하게 설명해준다. 티켓을 받아 운전석 앞 유리에 잘 보이도록 얹어 두고 중심가를 걷기 시작했다.

몇 걸음 걷자 어제부터 조금 들떠 있던 신발 밑창이 걷기 힘들 만큼 벌어졌다. 낯선 곳에서 수명을 다한 듯하다. 우선 관광안내소를 들렀다. 금발의 친절한 직원이 테마에 따른 여러 투어를 안내해준다. 고대 전설에 따라 도시 요새였던 구도시의 여러 건물을 연결한 카타콤(catacombs) 미로 찾기, 처음으로 양조된 리투아니아 맥주 맛보기,

2015년 유네스코 디자인 도시 목록에 포함된 카우나스 황금기를 보여줄 근대 건축과 독특한 현대 건축 둘러보기, 독일 북부와 발트해 연안의 도시들이 형성한 한자(hansa) 동맹의 주요 도시인 중세 카우나스의 유적지 등….

성 미카엘 대천사 성당

오랜 역사를 자랑하는 도시답게 관광 프로그램은 다양하고 볼거리가 가득했다. 그러나 우선 신발 사는 게 급선무였다. 지도를 들고 상가가 있는 중심가로 향했다. 끈으로 신발을 동여매고 걷느라 불편했지만, 가는 내내 중세 도시답게 늘어선 고풍스러운 건물을 만날 수 있었다.

큰길을 따라 걸으니 푸른빛 지붕의 아름다운 건물이 눈에 들어온다. 1800년대에 지어진 이 성당은 러시아정교회 성당과 닮았지만, 가톨릭 성당이다. 러시아가 카우나스에 주둔한 수비대를 위해 지은 성당이다. 애초 이름은 성 미카엘 대천사 성당이지만 수비대를 뜻하는 개리슨 성당으로 더 많이 알려져 있다. 신비잔틴 양식의 이 건물은 러시아 군인들이 물러난 후 미술관으로 사용되다 현재는 가톨릭 성당으로 바뀌어 미사가 열린다. 그 교회 앞으로는 자유로(Laisves Aleja)가 펼쳐진다. 카우나스 가운데를 관통하는 이 신시가지는 자유롭고 아기자기한 서유럽 분위기가 물씬 났다.

거리 양 옆은 오래된 중세도시처럼 보이지만 유명 브랜드 상점과 분위기 좋은 식당,

카페들이 늘어서 있다. 길 따라 산책하는 재미가 있다. 마침 세일 중인 털 신발을 마련했다. 여행지에서 예상치 못한 지출을 했지만 한국보다 저렴한 가격으로 따뜻한 신발을 살 수 있어 기분이 좋아졌다.

자유로가 끝나면 바로 빌니우스 거리와 연결된다. 이 길을 따라가면 또 다른 아름다운 거리가 나온다. 보행자 전용거리로 16세기 무렵의 여러 건축물이 늘어서 있다. 그 중 몇 개는 수 세기에 걸쳐 재건축을 한 탓에 여러 시대의 양식이 어우러져 있다. 특히 1542년 건축된, 오랫동안 시청 건물로 쓰였던 구(舊)시청사의 경우 고딕 양식, 르네상스 양식, 후기 바로크 양식 및 초기 고전 건축 양식이 한데 어우러져 있다. 하얀색의 이미지 때문에 '하얀 백조'로 불리는 이 건물은 1973년 이후에는 예식장으로 쓰이고 있다. 광장 부근의 시장에서는 갖가지 기념품을 판매하고 있다.

시간을 품은 장소와 음식, 내 안에도 시간이 깃들고

구시가지 끝에 있는 붉은색 카우나스성은 리투아니아 최초의 방어 요새로 가장 오래된 건물이다. 하얀 눈을 이고 선 붉은색의 아름다운 성은 14세기에 지어진 이후 주변 국가들의 끊임없는 침략을 온몸으로 겪어왔다. 수없이 파괴되고, 보수공사를 거듭했는데도 중세의 모습을 유지하고 있다. 특히 리투아니아 국가의 날인 7월 6일에는 뮤지컬 축제가 열리는 것으로 유명하다. 붉은 성을 배경으로 야외 잔디광장에서 펼쳐지는 축제는 매우 매력적일 것이다. 구시가지 끝에는 리투아니아 고딕 양식의 대표적인 건축물 페르쿠나스의 집이 있다. 매우 독창적이고 아름다운 건물이다. 고딕 양식의 이 건물은 15세기 후반에 지어졌는데, 과거 상인들이 리투아니아의 전통신인 천둥의 신

페르쿠나스에게 제사를 올린 곳으로 추정된다고 한다. 빌뉴스의 오나 성당과 더불어 보존 상태가 가장 좋은 건물이다.

　점심을 먹기 위해 다시 자유로로 되돌아왔다. 미리 봐 두었던 식당으로 들어가 따스한 수프를 주문했다. 커다란 빵이 나온다. 빵 뚜껑을 여니 수프가 담겨 있다. 빵과 수프를 함께 먹는 리투아니아 전통 음식이다. 따뜻한 수프로 몸을 녹이고 차를 몰아 파자이슬리스 수도원을 방문했다. 17세기에 지어진 이 수도원은 리투아니아에서 가장 아름다운 바로크 양식 건물이다. 수도원 앞 양측의 자작나무 가지의 흰 눈꽃이 햇살 속

에서 흩날린다. 바람결에 따라 반
짝이는 빛이 천사의 날갯짓 같다.
수도원을 되돌아 나오니 '카우나스
의 바다'로 불리는 호수가 보인다.
호수가 얼어붙어 눈 쌓인 넓은 벌
판처럼 보인다. 1996년 이후 매년 이곳에서는 리투아니아에서 가장 큰 음악 축제가 열
린다. 여름철에 시작해 가을까지 3개월간 계속된다고 하니 축제에 맞춰 다시 오고 싶
다는 생각이 들었다.

　카우나스를 뒤로하고 클라이페다(Klaipeda)로 향했다. 인구 15만 명의, 리투아니아
제3의 도시다. 발트해에 있는 리투아니아의 유일한 항구 도시로 네만강 하류에 있는
데, 이곳에서 스웨덴, 덴마크, 독일 등으로 가는 페리를 탈 수 있다. 도착한 시간은 그
리 늦지 않았지만 해가 짧은 탓에 어둑어둑해지기 시작했다. 호텔은 구시가지에 있어
찾기 어렵지 않았다. 체크인을 마치고 시내를 둘러봤다. 호텔 앞이 관광지 인근이라
안내 책자에 있는 건물들이 눈에 띄었다.

　산책을 마치고 호텔 직원이 일러준, 야경이 가장 멋있는 식당으로 향했다. 현지인
에게는 아직 이른 시간이었는지 손님이 별로 없었다. 일찍 온 데다 호텔에서 추천해
서 왔다고 하니 도심이 내다보이는 창가 자리로 안내해준다. 창밖으로 눈 쌓인 도로
와 바다 위 떠 있는 커다란 배들이 보였다. 항구 도시 클라이페다에 온 것을 실감하며
하루를 마무리했다.

해안 휴양도시 팔랑가
리투아니아 안녕~
세상의 모든 기도

아침식사를 하러 식당에 내려가니 사람들로 붐빈다. 외부의 차가운 기운이 느껴지지 않을 만큼 훈훈하고 따스하다. 덕분에 어두운 톤의 호텔 인테리어에서 풍기는 칙칙함이 사라졌다. 커피를 보온병에 담아 달라고 종업원에게 청했다. 낯선 여행객에 대한 배려인지, 추운 날씨에 대한 걱정인지, 따뜻한 미소와 함께 보온병 가득 커피를 채워준다. 즐거운 여행을 하라는 인사도 더불어 남긴다. 종업원의 친절과 따스한 아침식사 덕에 클라이페다의 첫 아침은 밝고 따뜻했다.

체크아웃하기 전 산책을 하기로 했다. 호텔을 나서니 어제 저녁식사에서 스카이라운지 테이블을 제공해 준 건물이 보인다. 몇 걸음 나서니 선착장도 보인다. 쿠르슈 사구로 가는 페리보트 선착장이다. 겨울이라 운항을 하지 않아 니다(Nida) 관광은 포기했다. 니다는 여름 휴양지로 유명하다. 니다엔 유네스코 세계문화유산이자 '리투아니아의 사하라'로 불리는 모래언덕 쿠르슈 사구가 있다. 겨울에 방문하면 이 모래언덕이 눈으로 뒤덮여 특별한 매력을 느낄 수 없을 것 같았다.

해안 휴양도시 팔랑가에서 평화로운 고요함을 즐기다

휴양지로 유명한 팔랑가(Palanga)를 방문할 예정이라 아쉬움을 달래며 호텔 직원이 안내해준 뷰 포인트인 존슨 언덕으로 발걸음을 돌렸다. 언덕이어서 클라이페다를 모두 내려다볼 수 있을 거라 생각했지만 그리 높지 않은 곳에 지어진 요새다. 네덜란드 스타일로 17세기에 완공한 뒤 18세기 말 방어 성벽을 재건했다. 해자에는 얼음낚시를 하는 사람들이 있다. 성 주위 바닥돌에는 이런저런 낙서들이 보인다.

산책을 마치고 호텔로 되돌아왔다. 체크아웃을 하고 팔랑가로 향한다. 팔랑가는 리

보석박물관이 보유한
세계 최대 호박 덩어리

투아니아 서부에 위치한 클라이페다주의 도시로 발트해 연안과 접한 휴양도시다. 18㎞에 달하는 아름다운 해변과 백사장이 있어 관광객들에게 많은 사랑을 받는다. 해안가를 따라 목적지로 가다 보니 부두가 보인다. 사진에서 본 경관이다. 바닷가에 쭉 뻗어 있는 부두를 보니 적막하다. 여름철이라면 파도소리, 갈매기 울음소리가 어우러진 모래언덕 위로 아름다운 해변 풍광이 펼쳐질 것이다. 하지만 겨울의 바다는 평화로운 고요함을 선사한다.

시내로 들어서니 요나스 바사나비치우스 거리가 시작되는 광장에 나왔다. 이곳은 리투아니아에서 가장 인기 있는 휴양지이다. 전통적인 건축물이 있고 오랜 역사의 리조트들이 있다. 그중 가장 오래된 건물 단지 그란지냐의 빌라 라크신갈라와 알돈나는 문화유산의 일부로 보호받고 있다.

겨울의 시내는 조용했다. 리조트 역시 붐비지 않았다. 아담한 시내를 거쳐 비루테 공원으로 갔다. 동유럽에서 가장 아름다운 공원 중 하나인 이곳은 팔랑가의 진주라고 불린다. 훌륭하게 디자인된 공원에는 멋진 산책로와 정원이 조성돼 있다. 겨울이라 다양한 꽃은 없었지만 충분히 상상할 수 있는 분위기이다.

　　보석박물관은 르네상스 스타일의 저택으로 1963년 8월 3일에 펠릭사스 백작의 전 재산으로 설립됐다. 펠릭사스 백작의 웅장한 저택은 비루테 공원 중심에 위치해 있다. 이 박물관에는 세계에서 가장 큰 호박 덩어리를 보유하고 있으며 그 외에도 약 5,000점의 전시품이 있다.

팔랑가의 진주라 불리는 비루테 공원

평소 호박은 나이 든 분에게 어울리는 보석이라고 생각했는데, 볼거리가 너무 다양해서 조금 놀랐다. 1층은 18세기 말과 19세기 초반의 예술작품이 전시돼 있는데, 설립자인 펠릭스 백작의 당시 생활상도 엿볼 수 있다.

박물관을 방문하고 나오는 길에 눈에 띄는 노란빛이 감도는 황토색 건물이 보인다. 팔랑가 쿠르하우스다. 팔랑가 리조트의 상징으로 이곳에 설립된 최초의 호텔과 레스토랑이었다고 한다. 현재는 시 소유로 매년 많은 행사와 공연, 콘서트가 열린다. 여름철 휴양지인 이곳의 분위기가 상상이 됐다.

저마다의 소망을 담은 십자가 10만 개가 이루는 장관

휴양지에서 머물지 못하고 급히 떠나야 하는 아쉬움을 뒤로 하고 샤울랴이로 향했다. 샤울랴이는 리투아니아 북부에 있는 인구 10만여 명의 도시로 리투아니아에서 네 번째로 큰 도시이다. 특히 십자가 언덕으로 유명하다.

샤울랴이 시내에 들어서니 가장 눈에 띄는 것은 르네상스식 건축물인 사도 베드로와 바울 대성당이다. 가장 인상적인 건물로 시내 중심가 어디에서도 볼 수 있다. 도시 관광안내소에 들러 안내를 받고 시내를 거닐었다. 특별한 게 없는 것 같아 지체하지 않고 십자가 언덕으로 향했다. 바람에 흩날리는 나뭇가지의 눈꽃송이를 바라보며 도착한 십자가 언덕은 수십만 개의 십자가들이 각자의 소망을 안고 언덕을 가득 메우고 있었다. 이곳에는 실제 약 10만 개의 십자가가 있다고 한다.

왼쪽_ 샤울랴이의 르네상스식 건축물인 사도 베드로와 바울 대성당 십자가가 세워지기 시작한 것은 지금부터 150여 년 전 제정러시아 시절이었다. 식민지 수탈에 항거하는 봉기(1861~1863년)에 나선 농민들의 무사 귀환을 빌면서 그 가족들이 십자가를 세우기 시작한 것이 지금에 이르렀다. 순례자들에 의해 십자가 수는 기하급수적으로 늘어났지만 종교를 금지했던 소련 지배 시절에는 탄압과 저항의 상징이 되기도 했다. 밤새 불도저를 동원해 언덕에 세워진 십자가들을 밀어버리면 다음 날 또다시 다른 십자가들이 세워지고 이것이 반복돼 지금에 이르렀다고 한다.

오늘날의 십자가 언덕은 역사적인 건축 기념물로 민속 예술의 독특함을 표현한다고 한다. 평화로움, 영성, 진정성 및 신성함을 나타낸다. 교황 요한 바오로 2세가 방문하면서 널리 알려졌다. 방문객들이 십자가를 세우는 전통도 형성됐다. 하얀 눈에 반사된 십자가들은 성스럽게 비쳤지만 막상 가까이에서 바라본 십자가는 낯설고 기이한 느

낌마저 들었다. 이곳을 방문하는 다른 방문객처럼 십자가를 미리 준비하지 못해 대신 지니고 있던 묵주를 걸어놓았다. 잠시 그 자리에서 일상의 소소한 기도를 하고 싶었지만 수많은 십자가 아래에서 평화를 기원하는 바람을 남기고 리투아니아를 떠나 라트비아로 향했다.

샤울랴이의 십자가 언덕

Latvija

라트비아

에스토니아
Estonia

타르투
Tartu

러시아
Russia

시굴다
Sigulda

리가
Riga

라트비아
Latvia

샤울라이
Siauliai

리투아니아
Lithuania

수도 리가
'백만 송이 장미'로 친근한
'동유럽의 파리'

리가 시내 광장의 자유의 여신상

리투아니아 샤울랴이를 떠나 얼어붙은 고속도로를 달렸다. 그나마 차선 하나는 차량이 이동할 수 있도록 눈을 치워 놓았다. 그늘진 쪽의 차선은 미처 눈을 치우지 못했다. 머리 위로 해가 솟아오르자 날이 제법 따뜻해지기 시작했다. 눈 녹은 물이 도로 위로 흐르기 시작한다. 파란 하늘에서 쏟아지는 햇살이 하얀 도로 위에 반짝인다. 바람이 불자 주변 나무에 사뿐히 얹혀 있던 눈을 흩뿌린다. 겨울 풍경에 눈길을 보내는 사이 차량은 국경을 넘어 라트비아(Latvija)로 들어선다. 바람에 흩날리는 눈꽃들이 환영 인사를 건네는 듯하다.

샤울랴이에서 라트비아의 수도인 리가(Riga)까지는 두 시간 남짓 걸렸다. 국경선을 지나쳤지만 특별한 통과절차는 없었다. 유럽이 하나로 통합돼 가면서 여행객에게 국경선은 의미가 없어진 셈이다. 언어와 분위기가 달라져야 다른 나라에 온 것을 실감할 수 있다.

라트비아는 발트해 동쪽 해안 연안에 위치한다. 정치 체제는 다른 유럽 국가들과 비슷하게 의원 내각제를 기반으로 하고 있다. 공식 명칭은 라트비아 공화국이며 유럽에서 가장 오래된 고유 언어인 라트비아어를 사용한다. 인구는 200만 명으로 서울 인구의 5분의 1에 불과하지만 수도인 리가를 중심으로 유럽연합에서 가장 빠른 경제성장을 이룩한 나라다.

라트비아 북쪽은 에스토니아, 동쪽은 러시아, 남쪽은 리투아니아와 접하고 있으며 서쪽으로는 500㎞에 달하는 해안선이 발트해와 닿아 있다. 발트해 연안은 새하얀 모래로 가득한 아름다운 해변으로 유명하다. 국토의 54%가 울창하고 풍성한 숲으로, 훼손되지 않은 대자연은 라트비아의 자랑이다.

리가로 가는 길에서 만난 풍경

　예로부터 라트비아는 동서를 잇는 정치, 경제, 문화의 교차로였다. 다양한 문화가
공존하고, 여러 나라의 전통이 합쳐져 세계 어디에서도 찾아볼 수 없는 독특한 분위기
를 형성할 수 있었던 것은 그 때문이다. 한편으로는 그만큼 침략과 억압의 역사가 반
복됐다는 뜻이기도 하다. 13세기에는 독일 십자군, 16세기에는 폴란드, 18세기에는 스
웨덴과 제정러시아 등에 침략당했다. 1차 대전 후 독립했으나 1940년 8월 소비에트연

방이 라트비아를 강제 합병했다. 현재 라트비아는 1991년 독립 후 빠르게 성장 중이다. 우리에게 친숙한 '백만 송이 장미'라는 노래는 라트비아의 국민 작곡가 라이몬즈 파울스의 곡을 번안한 것이다. 원래 제목은 '마라가 주었네'. 마라는 라트비아 신화에 등장하는 운명의 여신이다. 이 노래는 마라에 대한 전설을 바탕으로 강대국 틈바구니에서 신음하는 라트비아의 현실을 담고 있다고 한다.

구도심 전체가 세계 문화 유산?

리가에 가까워질수록 차량이 늘어난다. 리가는 고대부터 중개무역지로 발전하면서 동유럽의 주요 도시로 성장해 왔다. 동서 냉전 시대 '동유럽의 파리', '구소련의 라스베이거스'라고 불릴 만큼 볼거리가 많고 화려한 도시이다. 지금은 북유럽으로 분류되는 라트비아의 리가는 발트 3국 최대 도시이다. 역사도 매우 깊다. 1200년경에 상업 도시로 성장하기 시작해 800년 넘는 동안 동유럽의 주요 도시로 발전해 왔다. 그 덕분에 구시가지 모두 유네스코 세계문화유산으로 지정되었다.

호텔은 유네스코 세계문화유산의 한가운데에 위치해 있다. 구시가지와 잘 어울리는 고풍스러운 외양이 오랜 역사를 짐작케 한다. 다행히 내부는 새롭게 인테리어를 해서 현대식이다. 도착한 호텔 로비는 체크인하려는 사람들로 붐볐다. 기다리는 사람들을 보니 다들 키가 크다. 라트비아 여성 평균 신장은 170㎝로 세계 최고 수준이다. 물론 남자들도 작지 않다. 판타지 영화에 나오는 엘프들이 있다면 이런 모습일 듯싶다. 커다란 키에 금발 머리를 보니 낯선 나라에 도착했다는 것이 실감났다.

라트비아에서 특히 놀랐던 것은 인터넷 환경이다. 속도가 빠를 뿐 아니라 무료 와

이파이의 천국이다. 리가의 호텔에서 안내 책자를 읽고서야 이곳에 세계에서 네 번째로 빠른 인터넷 연결망이 있다는 것을 알았다. 게다가 거의 모든 지역에서 무료였다. 타지의 여행객으로서는 넉넉한 인심이 고마울 따름이다.

호텔에 짐을 풀고 무작정 구시가지로 나섰다. 넓게 트인 광장의 중앙에 높게 솟은 여신상이 서 있다. 1935년 국민 모금으로 만들어진 자유의 여신상이다. 라트비아 신화에 나오는 사랑의 여신인 '밀다'를 모티브로 세운 자유의 여신상은 높이가 42m에 이르며 라트비아의 영원한 독립과 자유를 기원하는 의미로 세워졌다.

여신상 아래쪽으로는 1차 대전 중 라트비아 독립을 위해서 싸웠던 용사들의 활약상과 함께 라트비아의 민족 서사시인 라츠플레시스의 내용을 조각으로 장식해 놓았다. 라트비아 군인들이 근엄한 표정으로 지키고 있을 만큼 국가적으로 의미 있는 상징물이라고 한다.

광장 한쪽에 자리한 식당에서 라트비아 전통 음식으로 저녁식사를 했다. 맥주로 유명한 라트비아의 특색 있는 각 지역 맥주 네 종류를 모두 맛볼 수 있었다. 도자기에 담긴 맥주들은 어느 하나 흠잡을 데 없이 시원하면서도 진한 맛이 일품이었다. 특히 전통 음식과 잘 어우러져 안주인지 식사인지 모를 저녁이 됐다. 오늘 하루의 피곤을 다 씻어주는 듯했다. 라트비아의 첫 밤이 그렇게 깊어갔다.

라트비아 전통 음식과 특색 있는 4종의 지역 맥주

리가, 둘째 날
800년 역사를 좇아
하루종일 시간여행

창을 열고 내다본 풍경이 동화 속 세상 같다. 저 멀리 성당의 청록색 첨탑이 고즈넉하게 높이 솟아 있다. 그 아래로 빨간색 지붕들이 붉게 떠오르는 태양 빛에 반사돼 더 선명한 빛을 뿜낸다. 발트해에서 날아온 갈매기들이 도시를 흐르는 다우가바강을 따라 올라와 도심 위를 낮게 날아다닌다. 차가운 바람이 그림 같은 풍경을 거슬러 불어와 무거운 머리를 상쾌하게 깨워준다. '발트해의 진주'라고 불릴 만큼 아름다운 라트비아의 수도, 리가의 아침 풍경이다.

호텔이 올드리가라고 불리는 역사 지구에 위치한 덕에 800년이 넘는 유구한 역사와 전통의 품에서 하룻밤을 보냈다. 유네스코 역사유산에 등재된 리가의 역사지구는 중세도시 구조가 비교적 잘 보존돼 있다. 아르누보 양식의 건축물들이 세계 어느 도시와 견주어도 양적, 질적인 면에서 뛰어나다. 또 19세기에 지어진 목조 건축물이 매우 훌륭해 세계유산에 등재되었다.

19세기 유행한 아르누보 양식은 덩굴식물과 섬세한 꽃무늬를 모티브로 한 반복적인 패턴으로 건물 외벽과 철제난간 등을 화려하게 장식하는 것으로 유명하다. 지역과 민족에 따라 다양한 방식으로 응용된 이 양식은 근대와 현대가 교차하는 시대를 고풍스럽고 화려하게 꾸며놓았다. 특히 19세기 경제적 번영과 맞물려 아르누보 양식으로 치장된 리가의 건물들은 세계유산으로 가치를 인정받고 있다.

북구에서 불어오는 차가운 바람을 이겨내기 위해 두텁게 차려입고 호텔을 나서 자갈길 위로 한 걸음 한 걸음 내딛는다. 자갈로 된 울퉁불퉁한 길바닥이 현대의 도시가 아닌 중세의 도시를 걷는 듯한 느낌을 준다. 800년 동안 번영을 누린 역사의 흔적이 골목골목 위치한 건축물에 그대로 남아 있다. 로마네스크, 고딕, 바로크, 아르누보의 건

리가 돔 성당

축양식이 뒤섞인 서로 다른 느낌의 건축물들이 골목마다 서서 여행객을 맞는다. 곳곳에 쌓여 있는 하얀 눈더미가 세월의 비밀을 덮고 있는 느낌이다.

이른 아침 조용한 골목길 산책을 즐기는데 갑작스레 왁자지껄한 소리가 들린다. 막다른 골목을 돌아서니 길에 앉아 떠드는 사람들이 보인다. 어젯밤 늦게까지, 아니 조금 전 새벽까지 밤을 지새우고 일을 마친 악단들이었다. 어느 카페나 바에서 지난밤을 보냈으리라. 주변을 둘러보는데 흥에 겨운 듯 술 취한 목소리까지 들린다. 학생들이려나. 여러 명이 독특한 복장으로 무리 지어 걸어간다. 리가가 한때 '동유럽의 파리' '구소련의 라스베이거스' 등으로 불리는, 유흥과 환락의 도시였던 사실을 실감케 했다.

발길 닿는 곳마다 역사의 숨결을 간직한 화려한 건축물이

그들이 떠난 조용한 골목을 걷다 보니 큰 성당이 보인다. 발트 3국에서 가장 큰 규모의 성당으로 돔 성당이라고도 불린다. 6,768개의 파이프로 이뤄진 오르간도 유럽에서 가장 큰 규모를 자랑한다. 현재는 오르간 연주를 비롯한 콘서트홀로 이용되는데, 시간이 맞지 않아 장엄한 오르간 연주를 들을 수 없었다. 아쉬움을 뒤로하고 라트비아 의회 건물로 향했다. 1991년 당시 대통령이 이 건물의 발코니에서 라트비아의 독립을 선포했다.

의회 건물 옆으로 색깔이 다른 세 건물이 나란히 서 있다. 중세 가옥 형태가 온전히 남아있는 '삼형제의 집'이다. 폭이 좁은 왼쪽의 건물이 15세기에 지어졌으며 레우템과 담스템의 집은 각각 17세기와 18세기에 지어졌다고 한다. 특이한 건물 색깔의 조화로 여행객들에게 많은 인기를 끌고 있다. 인상적인 외관과 함께 내부 장식과 부속물들도

왼쪽_ 중세 가옥 형태가 온전히 남아 있는 '삼형제의 집'
오른쪽_ 중세 상인 모임인 검은머리길드에서 유래한 '검은 머리 전당'

당시의 모습 그대로 보존돼 있다.

　자갈길을 따라 걷다 보니 철탑이 우뚝 솟은 거대한 성당 앞에 이르렀다. 성 베드로 성당이다. 한때 유럽에서 제일 높은 철탑이었다고 한다. 하늘 높이 솟은 첨탑이 도시 전체를 굽어보는 듯하다. 성당 뒤편으로 돌아가니 재미있는 동물들의 동상이 보인다. 독일 그림 형제가 쓴 유명한 동화 '브레멘의 악사'에 등장하는 동물들이다. 자유로운 땅, 브레멘을 찾아 떠나는 당나귀, 개, 고양이 그리고 수탉이 서로 의지해 하나의 동상으로 서 있다. 브레멘 출신의 알베르트 대주교를 기념하기 위해 독일 브레멘시가 기증했다고 한다. 그들 중 하나인 당나귀 발은 반질반질하다. 소원을 빌기 위하여 많은 사람이 만져서다. 어디서나 소원을 위한 기도는 행해지나 보다.

또 다른 성당 위 첨탑은 수탉이 앉아 있는 모습이다. 풍향계로 사용되는 이 첨탑은 리가가 한때 해양 무역의 중심지였음을 알려준다. 수탉의 부리가 시내를 향하고 있으면 바람을 타고 배들이 시내로 들어오는 날이라 광장마다 큰 장이 섰다고 한다. 리가의 성당 첨탑에는 특히 수탉이 많은데 새벽을 가장 먼저 알려주는 수탉이 어둠을 쫓고 빛을 불러주는 성스러운 동물이라고 믿었기 때문이다.

옛 시청에 자리 잡은 중세풍의 화려한 건물은 '검은 머리 전당'이라는 재밌는 이름으로 불린다. 중세 상인의 모임인 '검은 머리 길드'에서 이 건물을 사용했기 때문이다. 대길드와 소길드 건물이 나란히 서 있다.

검은 머리 전당의 맞은편에는 지붕에 검은색 고양이 모형이 있는 노란색 건물이 서 있다. 이름도 고양이 집이다. 지붕에 검은색 고양이 두 마리가 마주 보는 모습이 재미있다.

특별히 지도를 보며 관광지를 찾아보기보다 그저 눈에 띄는 건물을 따라 발길 가는 대로 걸었다. 지역 전체가 문화유산이다 보니 가는 곳마다 역사의 숨결을 간직한 화려한 건축물이 낯선 방문자를 환영해 주었다. 과거로 시간여행을 떠난 듯 하루종일 리가의 도시를 둘러보았다.

그림형제의 〈브레멘의 악사〉에 등장하는 동물들

라트비아
03

시굴다
라트비아의 스위스,
케이블카 아래 '신화의 흔적' 고스란히

라트비아를 대표하는 가장 아름다운 건축물, 투라이다 성

이른 아침 햇살을 받으며 800년의 역사를 간직한 리가를 떠난다. 기분 좋은 울림을 전하던 울퉁불퉁 벽돌길이 평탄한 아스팔트로 바뀌면서 시간도 중세에서 현대로 돌아온다. 그 길을 따라 라트비아의 스위스라고 불리는 아름다운 도시 시굴다(Sigulda)로 향한다.

시굴다는 라트비아 네 지역 중 하나인 비제메 지방에 위치한, 인구 1만 7,000명의 작은 도시이다. 가우야강(Gauja River)을 끼고 고즈넉이 자리 잡은 이 도시는 1207년이 일대를 지배하며 잔인한 전투로 악명이 높았던 '검의 형제 기사단'이 요새를 세운 곳이기도 하다. 평야가 대부분인 발트해 연안국가에서 특이하게 이곳만 수많은 언덕과 산들로 둘러싸여 있어 오랜 세월 전략적 요충지 역할을 해왔다. 더구나 강과 산이 만들어내는 아름다운 풍경은 수 세기 동안 화가, 시인 등 많은 예술인에게 영감을 주었다. 현대에 와서는 이 일대에서 유일하게 스키 등 겨울스포츠를 즐길 수 있는 휴양지로 유명하다.

눈으로 뒤덮여 있어 길을 찾기 쉽지 않았다. 높이 솟은 교회가 낯익어 여행책을 열어보니 시굴다의 루터교회라는 소개가 나와 있었다. 목적지에 도착했음을 알 수 있었다. 시내를 차로 돌아보고 관광안내소에 들렀다. 도시에 대한 자세한 설명을 듣고 케이블카 시간을 확인했다. 가우야강 협곡을 연결하는 발트해 연안 국가의 유일한 케이블카를 타고 싶었다. 케이블카에서 장엄한 가우야 국립공원을 가로지르는 아름다운 가우야강은 물론이고 오랜 세월 시굴다를 지켜온 신화와 역사를 오롯이 감상할 수 있다.

안내 책자와 지도를 받아들고 케이블카를 타기 위해 다시 길을 나섰다. 길을 따라 돌아서니 어느 집 처마에 매달린 너구리 모양의 장식이 인상적이다. 그 옆에 세워진 스

왼쪽_ 케이블카로 보는 크리뮬다의 풍광
오른쪽_ 가우야 국립공원 내 스키장 이정표. 이 지역은 겨울 스포츠를 즐길 수 있는 휴양지다.

키 장비를 보면서 이곳이 겨울스포츠 천국이라는 말이 떠올랐다.

　관광안내소에서는 멀지 않은 길이라 했지만 주변에 특별한 건물이 없어서 국립공원 안에서 제대로 목적지를 향해 가고 있는지 확신이 없었다. 드문드문 지나치는 차량을 따라 길을 나서다 언덕 넘어 정차하는 앞선 차량을 따라 차를 세웠다. 둘러보니 스키장 입구다. 리프트가 움직이고 스키를 타고 내려오는 사람들도 보인다. 앞선 차량의 주인은 트렁크를 열어 풋스키를 꺼내 장착한다. 중년을 넘은, 할아버지였다. 익숙한 듯 스키 장비를 신으며 나의 질문에 귀를 기울인다. 유쾌한 목소리의 어르신은 영어가 익숙하지 않은지 주위 사람들을 부른다. 모여든 어른들도 족히 칠십 대는 되어 보인다. 그 연세에도 스키를 즐긴다는 것이 놀라웠다. 오랜 세월 동안 건강관리를 잘해왔기 때문에 가능하지 않을까. 이 지역이 겨울스포츠 휴양지라는 것과 함께 장수국가라는 말이 실감난다.

언덕을 따라 내려가면 케이블카를 탈 수 있다고 안내를 받았다. 감사하다는 인사와 멋있다는 말을 남기고 돌아섰다. 곧이어 도착한 케이블카 탑승장에는 추운 겨울이라 사람들이 많지 않았다. 장수국가답게 케이블카 안에서 설명을 해주시는 분은 조금 전 할아버지들보다 더 나이 들어 보이는 백발의 할머니였다. 가우야 국립공원은 라트비아의 국립공원 중 가장 크고 오래됐으며, 그림 같은 전망과 독특한 자연, 문화 및 역사적 기념물이 가득하다. 케이블카에서 내려다보는 경관 자체만으로도 아름답기 그지없다.

이곳에는 스카이다이빙을 지상에서 체험해 볼 수 있는 에어로돔과 구소련 시절에 지어진 세계적 수준의 봅슬레이 경기장도 있다. 또 번지점프, 래프팅, 열기구타기 등 사계절 내내 레포츠를 즐길 수 있다.

라트비아의 스위스 '시굴다', 신화 같은 역사를 간직하다

시굴다와 반대편 협곡 크리뮬다를 왕복하는 케이블카 안에서는 이곳의 역사와 신화에 대한 열정적인 설명이 계속 된다. 말이 잘 통하지는 않았지만 독특한 리듬의 라트비아어가 아름다운 경치와 잘 어울리는 느낌이다. 케이블카에서 내려 투라이다 박물관 보호 구역으로 향했다. 넓은 보호구역 내부에는 고대에 이 지역에 살던 리브인의 역사를 알 수 있는 고고학 유적이 있었고, 11세기 무렵 지은, 역사적이고 예술적인 건축물들이 자리하고 있었다.

이 지역의 대표적인 건축물인 투라이다성은 '신의 정원'이라는 뜻으로, 1200년대 당시에는 리가 대주교의 거처로 지어졌다고 한다. 수차례 파괴됐지만 20세기 중반에 다시 복원된 이 성은 현재 라트비아를 대표하는 가장 아름다운 건축물로 꼽힌다.

투라이다성에서 내려오는 길에 구타마니스 동굴에 들렀다. 깊고 웅장한 동굴을 상상했지만 발트해 연안에서 가장 크다는 설명이 무색할 만큼 작은 규모였다. 사랑의 동굴이라고 불리는 이 동굴에는 사랑에 얽힌 여러 가지

북유럽에서 가장 오래된 에스토니아 타르투 대학의 벽화

전설이 전해 내려온다. 17세기 스웨덴 점령 시절, 사랑을 위해 죽음을 선택한 아름다운 아가씨의 전설이 전해 오면서 사랑의 동굴로 유명해졌다. 그 때문인지 동굴 안에는 연인의 이름과 사랑의 맹세를 새긴 흔적들로 가득했다. 동굴 벽이 단단하지 않은 사암으로 이루어져 낙서를 할 수 있었다고 한다.

사랑의 동굴을 뒤로하고 시굴다를 떠나 북쪽으로 길을 달린다. 에스토니아로 향하는 길이다. 라트비아의 시굴다에서 세 시간을 운전해 에스토니아에서 두 번째로 큰 도시 타르투(Tartu)에 도착했다. 북유럽에서 가장 오래된 대학이 있는 타르투는 창의적이고 과학적인 문화를 지니고 있다. 저녁이 되어서야 도착한 도시의 분위기는 조용하고 아늑했다. 호텔에 짐을 풀고 어둠이 내린 시내로 나섰다. 작은 레스토랑은 에스토니아 사람들로 시끌벅적하다. 한쪽에 앉아 조촐한 식사로 하루를 마무리한다.

Estonia

에스토니아

라헤마 국립공원
Lahemaa Rahvuspark

탈린
Tallinn

라크베레
Rakvere

에스토니아
Estonia

러시아
Russia

소마 국립공원
Soomaa Rahvuspark

타르투
Tartu

페르뉴
Pärnu

시굴다
Sigulda

라트비아
Latvia

타르투와 라크베레

노래혁명으로 전 세계 감동시킨
작지만 강한 나라

에스토니아에서 가장 뛰어난 20세기 아르누보 양식의 성스러운 건물 중 하나인 '성 바오로 교회'

지난밤 국경선을 넘어 도착한 에스토니아는 온통 하얀 눈으로 뒤덮인 겨울왕국이었다. 타르투(Tartu)로 향하는 길은 소복이 쌓인 눈으로 포근하게 잠들어 있었지만, 시내로 접어들자 밝고 경쾌한 대학도시답게 활기가 넘쳤다. 시내 곳곳에 눈길을 끄는 재미있는 조각상들이 서 있고 작은 바와 카페에 사람들이 북적거려 추운 날씨를 무색하게 했다. 가장 눈에 띄는 것은 시청 앞 광장의 '키스하는 학생상'이었다. 눈으로 뒤덮인 분수대 위에서 젊은 연인이 우산을 쓰고 열정적으로 키스를 나누는 모습을 형상화한 이 동상은 젊음이 넘치는 타르투를 상징하는 듯했다.

에스토니아는 빙하 영향으로 지대가 평평하고 낮다. 또한 발트 3국 중 가장 북쪽에 있어 북유럽의 문화에 가깝다. 북쪽과 서쪽은 발트해에 닿아 있고, 동쪽으로는 러시아, 남쪽으로는 라트비아와 접경을 이룬다. 발트 3국과 함께 1940년 소비에트연방에 편입된 에스토니아는 1991년 노래 혁명으로 불리는 평화적인 시민혁명을 통해 독립을 쟁취했다. 당시 리투아니아 빌뉴스에서 에스토니아 탈린까지 600여㎞를, 200만 시민이 독립을 노래하며 손에 손을 맞잡고 인간띠를 이었다. 독립에 대한 이들의 열망은 전 세계에 커다란 감동을 주었다.

타르투의 이른 아침은 활기찼다. 직장과 학교를 가느라 분주하게 움직이는 사람들 사이로 여행객의 여유를 누리며 도시를 걷는다. 늦게 일어난 겨울의 태양이 서서히 떠오르면서 성바오로 교회가 붉게 물든다. 에스토니아에서 가장 뛰어난 20세기 아르누보 양식의 성스러운 건물 중 하나다. 대학도시답게 오래된 대학 건물과 공원 사이로 유명한 작가들의 조각상과 기념비들이 자리 잡고 있다. 공원 한쪽에 서 있는 아버지와 아들 동상이 이채롭다. 아들과 아버지가 서로를 인정하고 존경하는 이상적인 부자의 모습을 담고자 했다고 한다. 짓궂은 낙서가 아쉬웠지만, 하얀 눈에 파묻혀 서로의 손을 꼭 쥐고 있는 부자의 모습이 추운 겨울에도 외로워 보이지 않았다.

평온한 에스토니아의 농촌에서 동물과 인간을 생각하다

타르투에서의 짧은 일정을 마치고 떠오르는 햇살을 받으며 라크베레(Rakvere)로 향했다. 13세기에 지어진 성곽의 유적이 잘 보존된 라크베레는 휴양지와 농축산물로 유명한 조용한 농촌 도시다. 눈으로 뒤덮인 고속도로를 달리던 중 언덕 눈밭 위에 커다란 물소가 당당한 모습으로 서 있는 것이 보였다. 라크베레를 상징하는 '타르바스'라 불리는 물소 동상이다. 2002년 도시 건설 700주년을 기념해서 만든 물소상은 높이 3.5m, 너비 7.1m의 크기로 두 뿔을 높이 세우고 의연하게 서 있었다.

물소상을 지나쳐 라크베레성에 다다랐다. 13세기 독일 기사단들이 건설한 성으로, 요새 같은 중세 성곽의 형태가 잘 보존돼 있다. 성 주위로 누군가가 발자국을 찍어 놨다. 나 역시 넓은 눈밭에 한 발짝 한 발짝 발자국으로 한글 단어를 써놓고 기념 촬영을 했다.

눈밭에서 노닐어서인지 땀방울이 송골송골 맺힌다. 한참 즐기다 관광안내소가 위치한 중앙광장에 들어섰다. 중앙광장에는 라크베르 관광안내소가 있다. 관광객을 위해 안내 서비스를 제공하고, 기념품과 작은 선물을 판매하고 있었다.

라크베레를 상징하는 '타르바스'라 불리는 물소 동상

성 내부에는 독일기사단의 당시 활동 모습과 라크베레의 역사를 보여주는 전시물 등 볼거리가 다양하게 전시돼 있다. 고문 모습 등 중세의 잔인함이 익숙하지는 않았지만 수백 년 전의 분위기는 엿볼 수 있었다. 라크베레성 근처에는 19세기 말 마을 주민들이 어떻게 살았는지 볼 수 있는 시민의 집 박물관도 있다. 라크베레는 다른 도시와 달리 2004년 현대적인 도심이 완성되기 전에는 소박한 시골 마을이었다.

마을 광장에는 내가 좋아하는 현대 작곡가 아르보 패르트의 동상이 서 있다. 그가 이곳에서 어린 시절을 보낸 걸 기념하기 위해서다. 아르보 패르트는 에스토니아를 대표하는 작곡가로 그의 합창곡은 널리 알려져 있다. 그의 음악은 종종 영화음악으로도 쓰인다. '벤저민 브리튼을 추모하는 성가'라는 곡은 마이클 무어 감독의 '화씨 9/11'에 나오는데, 테러 직후의 장면 배경음악이다.

라크베레에서 멀지 않은 탈린에 도착하기 전, 라헤마 국립공원에 들렀다. 소비에트 시대의 첫 국립공원인 라헤마 국립공원은 늪지대와 울창한 숲, 아름다운 호수로 이뤄져 있다. 또 발트해의 아름다운 해안선과 해변, 석회암 절벽을 가르는 강과 폭포들이 유명하다. 특히 라헤마는 유럽에서 가장 중요한 삼림 보호 지역 중 하나이며 많은 동물이 살고 있다. 국립공원의 남쪽에 위치한 큰 숲은 사슴, 야생 멧돼지, 갈색곰, 살쾡이, 여우 등 야생동물의 서식지다.

특히 숲의 악동으로 천덕꾸러기가 된 에스토니아 비버도 이곳에 많이 산다. 멸종위기 동물인 비버를 보호했더니 개체 수가 급격히 늘어났다고 한다. 비버들은 부지런히 댐을 만드는 걸로 유명한 동물인데 이런 비버의 특성 때문에 한겨울에도 강물을 막아 홍수 피해를 일으키고 토양 생태계에도 심각한 영향을 주어, 에스토니아 정부가 다시 비버 사냥을 장려하고 있다고 한다. 생태계 복원의 아이러니가 아닐 수 없다.

국립공원 중심부에는 전통을 간직한 아름다운 팔름세 궁전이 있다. 13세기 덴마크인이 지은 성곽이 있었다고 하는데, 지금의 모습은 18세기에 지어진 것이다. 현재 에스토니아에 남아 있는 궁전 중 가장 아름답다. 공원 내 하이킹을 위해 조성된 나무 길을 걸으며 공기에서 느껴지는 맑은 에너지를 가슴 깊이 담는다. 맑은 공기를 품에 안고 다음 목적지인 에스토니아의 수도 탈린으로 향했다.

팔름세 궁전

탈린, 첫날
발트해의 진주,
흥미로운 중세 체험에 하루가 짧아

에스토니아의 수도 탈린(Tallinn)의 아침은 더 없이 여유로워 보였다. 지난밤 북으로 달리던 자동차가 어둠이 내려앉은 발트해의 진주, 탈린에 도착했다. 발트해 깊숙이 자리 잡은 탈린은 핀란드 만을 사이에 두고 헬싱키를 마주 보는 항구 도시다. 북유럽 최고의 관광도시라는 말이 조금도 어색하지 않을 정도로 아름답다. 발트 3국의 남쪽 끝, 리투아니아에서 시작된 이번 여행은 라트비아를 거쳐 이곳, 탈린에서 마무리된다.

과거의 모습을 고스란히 간직한 아름다운 탈린은 현재 에스토니아 수도이자 최고의 휴양지로 각광받는다. 하지만 에스토니아는 주변 강대국들로부터 오랫동안 수탈당하고, 지배받았던 역사를 간직하고 있다. 1219년 덴마크를 시작으로 독일, 스웨덴, 제정 러시아 등 주변 강대국들은 세력을 확장할 때마다 풍요로운 평야 지대인 에스토니아를 침략했다. 에스토니아가 1991년 완전한 독립을 쟁취하고서야 이 같은 침략은 멈췄다. 현재는 오랜 피지배의 유물들이 관광자원으로 활용되면서 중세와 현대가 공존하는 문화 유적지로 각광받고 있다.

신시가지에는 현대적인 건물과 고급스러운 호텔, 최신 유행한 물건들을 파는 상점과 대형 쇼핑센터가 들어서 있다. 구시가지인 올드타운은 13~15세기 한자(Hansa)동맹 당시의 모습이 가장 잘 보존된 지역으로 이름을 날리고 있다. 실제로 고딕 첨탑과

왼쪽_ 탈린의 톰페아성 위로 에스토니아의 삼색기가 펄럭인다.
제정러시아 시절 지배의 상징이던 이 건물은 에스토니아의 국회의사당으로 쓰이고 있다.
오른쪽_ 탈린 톰페아성으로 향하는 길은 겨울바람으로 가득하다.
두터운 털코트를 두른 시민들이 분주한 걸음으로 지나쳐 간다.

자갈길, 매혹적인 건축물을 보면 북유럽에서 가장 잘 보존된 중세도시의 아름다움에 감탄하게 된다.

　여행의 마지막 종착지에서 몸과 마음의 여유를 찾기 위해 숙소를 온천호텔로 잡았다. 호텔에서는 중세의 아름다움을 간직한 톰페아성이 보였다. 북유럽 최고의 휴양지답게 현대적인 면모를 갖춘 호텔은 가족 단위 여행객으로 북적거렸다. 따뜻한 아침 햇살이 비치는 식당 안의 아이들 웃음소리가 새들의 노래처럼 반가웠다. 또 북유럽 특유의 혈통 덕에 체격이 유달리 큰 호텔 직원들은, 그 위압적인 덩치와 달리 환한 표정으로 손님을 반겨주었다.

독립을 쟁취하고 공화국을 세운 자부심, 톰페아성

호텔에서 500m 내에 올드타운과 알렉산데르 네프스키 교회, 톰페아 언덕 등 주요 문화유적들이 위치해 있다. 여행의 피로를 털어내고 늦은 아침을 먹은 후 올드타운으로 향했다. 올드타운은 고지대와 저지대의 두 지역으로 나뉜다. 호텔에서 가까운 톰페아 언덕의 고지대에는 톰페아성이 있고, 그 밑으로 비루문에 이르는 저지대가 형성돼 있다. 고지대에는 탈린의 지배세력이 사용하던 건물들이 남아 있고 저지대에는 13세기경부터 발전한 발트해 무역을 이끌었던 무역상들의 건물이 밀집해 있다.

톰페아성으로 향하는 길은 겨울바람으로 가득했다. 두터운 털코트를 두른 시민들이 분주한 걸음으로 지나쳐간다. 언덕길로 올라서니 톰페아성 위로 에스토니아의 삼색기가 펄럭인다. 제정러시아 시절, 탈린 지배의 상징이던 이 건물이 현재는 민의를 전달하는 에스토니아의 국회의사당이라니 역사의 아이러니가 아닐 수 없다. 에스토니아인들은 자신들의 독립과 자유의 상징인 삼색기를 보며, 스스로 쟁취한 독립과 공화국에 대한 자부심을 느끼는 듯했다.

고지대에 위치한 '성모 마리아 루터회 톰성당'은 1219년 덴마크인들이 이곳에 진출한 이후 세워졌다. 오래된 건물로 보이지 않을 만큼 보존이 잘된 이 성당에는 탈린의 역사를 보여

'부엌을 들여다보아라' 성탑. 성탑에서 남의 집 부엌이 내려다 보였다고 해서 유래한 이름이다.

주는 기념물들이 전시돼 있다. 톰페아 언덕의 전망대에서는 탈린 시내가 한눈에 들어온다. 해발 45m에 불과한 낮은 언덕이지만 주변 지대가 워낙 낮아 중세의 구시가지와 현대적 도시, 그리고 발트해까지 아름다운 풍경이 그림처럼 펼쳐져 있다.

700년이 넘는 역사, 중세의 시간을 선물 받은 느낌

벽돌길을 따라 언덕을 내려와 저지대로 접어드니 탈린에 유일하게 남아 있는 르네상스 건물, 블랙헤드 길드의 집이 보인다. 중세의 골목길은 삼형제의 건물과 세 자매의 건물로 이어진다. 세 자매의 건물은 15세기에 지어졌는데, 뾰족하게 솟은 세 개의 건물이 나란히 서 있는 모습이 이채롭다. 중세시대 양식을 잘 보여주는 이 건물들은 현재 호텔로 개조했다. 고색창연한 길은 시청광장으로 이어진다. 광장 앞 구시청사는 북유럽에서 가장 오래된 시청이라고 한다. 고딕 양식으로 보존된 유일한 건물로, 13세기 건설되기 시작해 1404년에 완성돼 역사가 700년이 넘는다. 이 건물은 여전히 도시의 대표적인 건물로 자리매김했고, 시청광장은 구시가지의 중심이 됐다.

오늘날에도 여름이면 옥외 카페가 즐비하고, 축제와 야외 콘서트, 박람회 등이 열린다. 겨울이 오면 우뚝 솟은 가문비나무를 중심으로 마법의 크리스마스 시장으로 변모한다. 1441년 이곳에 세워진 가문비나무가 크리스마스트리의 효시다. 크리스마스 시즌이 지나 아름다운 트리를 볼 수 없다는 게 못내 아쉬웠다.

시청광장에서 이어진 비루거리, 중세 복장을 한 가이드가 눈길을 끈다. 영화에서나 볼 듯한 복장으로 진지하고 큰 목소리로 설명을 이어가고 있다. 그 가이드말고도 또 다른 중세시대 복장을 한 사람이 손님을 안내하는 게 보인다. 이 거리에는 중세를 테

탈린 비루거리에는 중세시대 복장을 하고
눈길을 끄는 이들이 보인다.

마로 하는 레스토랑과 기념품 가게들도 즐비하다. 기념품 가게에서 이것저것 구경하고 싶었지만 시간을 너무 지체할 것 같아 내일 다시 둘러보기로 하고 거리 끝까지 걸었다. 어디선가 고소한 냄새가 나서 발걸음을 멈추었다. 탈린의 명물이라는 흑설탕에 볶은 아몬드. 중세식 마차 위에서 중세시대 복장을 한 판매원이 시식을 권한다. 달콤하고 고소한 맛에 이끌려 한 봉지를 샀다.

저지대의 남쪽과 동쪽 거리에는 수많은 갤러리, 수공예 워크숍, 카페 및 엔터테인먼트 장소들이 들어서 있다. 중세의 역사 속에 있는 듯 이것저것 구경하다 보면 시간가는 줄 모를 만큼 아름다운 소품과 역사적 흔적이 가득하다.

구시가지 여행의 출발점이라는 비루문에 도착했다. 언덕에서부터 내려온 나에게는 마지막 코스다. 구시가지로 들어서는 여섯 개의 대문 중 하나인 비루문에는 감시탑으로 쓰였을 쌍둥이 탑이 양 옆으로 솟아 지나가는 관광객을 내려다보고 있다.

길을 돌아 다시 구시가지로 들어서, 조금 전 지나쳐 왔던 재미있는 중세 분위기의 식당을 찾았다. 중세를 테마로 한 레스토랑은 촛불로 조명을 했고, 직원들이 중세 복장을 하고 손님을 맞았다. 이들은 낯선 동양인 관광객을 봐서 신이 난 듯 메뉴 설명에 열심이다. 중세의 음식은 현대인에게도 충분히 풍요로운 저녁이었다. 하루 종일 중세에 있는 듯 하루를 보내고 나자 신비로운 탈린의 매력에 흠뻑 빠져들게 됐다.

탈린, 둘째 날

빼곡한 중세 상점,
천년의 향기 품은 아기자기한 골목

중세의 도시, 에스토니아 탈린에 아침햇살이 쏟아진다. 물감을 풀어놓은 듯 파란 겨울 하늘이 티끌 한 점 없이 깨끗하다. 북극에서 내려오는 차가운 공기도 한풀 꺾인 듯, 따뜻한 햇살을 머금은 상쾌한 공기가 정신을 맑게 해준다. 탈린에서 맞는 두 번째 아침이다.

스파 시설이 잘 갖추어진 호텔은 아침부터 온천을 즐기려는 사람들로 북적인다. 가운을 입고 복도를 뛰어다니는 사람들도 보인다. 여유로운 온천은 잠시 미뤄두고 탈린의 중세 거리로 나섰다. 전날 탈린의 올드타운을 고지대 톰페아성에서 저지대 비루문까지 둘러보았다. 천년의 시간을 건너뛴 듯 올드타운은 중세의 모습을 고스란히 간직하고 있었다. 웅장한 성과 고딕의 첨탑을 자랑하는 성당들, 무역상으로 북적거렸을 자갈길과 길드의 중심이었을 건물들까지 마치 테마파크에 들어온 듯, 세심한 부분까지 중세의 모습을 복원해 놓았다. 오늘은 조금 더 여유롭게 자갈길을 산책하며 중세의 분위기를 즐기기로 했다.

탈린이 발트 3국에 속한 라트비아와 리투아니아의 수도보다 넓긴 하지만, 중심지 올드타운은 오십 분 정도 걸으면 모두 둘러볼 수 있다. 올드타운으로 향하는 길은 시간의 관문을 통과하는 기분이다. 현대적인 길을 걷다가 발바닥이 울퉁불퉁한 자갈을 감지하는 순간부터 갑자기 시간여행 하듯 수백 년의 시간을 거슬러 중세 시대로 진입한 듯 분위기가 바뀌어 있다.

톰페아 언덕에 다시 올랐다. 1219년 덴마크가 최초로 요새를 건설한 이곳은 탈린의 탄생지이기도 하다. 톰페아 언덕은 에스토니아를 지배하던 권력층이 거주했고, 그 아래 저지대에는 발트해를 중심으로 이 일대의 상권을 쥐고 있던 상인들의 길드 건물이 자리잡았다. 톰페아 언덕에서 바라본 탈린 시내는 아기자기한 한 폭의 그림 같다. 올드타운의 외곽은 13세기부터 성벽들이 둘러싸고 있는데, 이 성벽은 러시아, 덴마크, 스웨덴, 폴란드 등 에스토니아를 둘러싼 주변 열강의 격전장이기도 했다. 주인이 바뀔 때마다 성벽이 부서지고 보수되기를 반복하는 동안 27개의 성탑이 세워졌다. 이 중에서 현재 19개의 성탑이 박물관을 비롯해 관광객을 맞기 위한 용도로 쓰이고 있는데, 탈린 시대를 둘러볼 수 있는 훌륭한 전망대 노릇도 톡톡이 하고 있다.

간판도 조각품 같다

골목길을 따라 이곳 저곳을 걷는다. 어제 주요 건물을 찾아보려고 하루 종일 들고 다녔던 지도를 손에서 놓으니, 건물들이 한층 더 가깝게 느껴진다. 발걸음이 이끄는 대로 가게도 기웃거려 보았다. 골목마다 재미있는 가게들이 즐비하다.

비루거리에서 향료 파는 가게에 들러 보았다. 다양한 향신료 냄새가 코를 자극한다. 기념품 가게에서는 점원 아가씨가 중세시대 복장을 하고 손님을 맞는다. 진열된 상품만큼 눈길을 끄는 아름다운 그녀의 미소에 웃음으로 답한다.

올드타운 저지대의 거리에는 수많은 갤러리, 수공예 가게, 카페 및 엔터테인먼트 장소가 산재해 있다. 이것저것 구경만 하는 데도 시간이 빠르게 흐른다. 비루 광장 근처에는 스웨터 골목이 있다. 이곳에는 보는 것만으로도 몸이 따뜻해지는 형형색색의 털실과 전통문양으로 뜬 폭신한 스웨터가 눈길을 잡아끈다. 나무로 깎은, 스웨터에 달수 있는 단추들 역시 인테리어 소품처럼 바구니에 소복이 쌓여 있다.

광장에 자리 잡은 오래된 약국으로 향했다. 추운 날씨에 필요한 로션을 사려고 들렀

는데 중세 시대부터 내려온 다양한 약재들이 진열돼 있었다. 진열품 중에서 가끔씩 섬 뜩한 물건을 발견할 때마다 영화 '향수—어느 살인자의 이야기'에 나오는 중세의 향수 가게가 떠올랐다. 때때로 기억은 냄새로 각인된다. 다양한 가게들과 진열품들이 각각 특유의 향기를 풍긴다. 탈린은 처음 찾은 곳인데도 마치 고향의 향기처럼 푸근하면서 도 이색적인 냄새로 기억에 남는 도시이다.

탈린 시내를 돌아다니면서 느낄 수 있는 또 다른 재미는 간판 구경이다. 조각품인 지 간판인지 구분이 어려울 정도로 정성스럽고 이색적인 간판에 눈길이 머문다. 종소 리를 울리며 시선을 끄는 것부터 재미있는 형상이 그려져 있는 것까지 보는 눈이 즐겁 다. 아이디어 넘치는 간판은, 순간적인 시선을 자극하는 현대의 네온사인과는 전혀 다 른 매력을 뿜낸다. 눈길을 끄는 것들 중에 한국식당 간판도 있었다.

이곳의 한국인들은 1937년 스탈린의 강제 이주 정책으로 연해주나 간도 지역에서 카자흐스탄, 우즈베키스탄 등으로 이주한 고려인 후손이라고 한다. 풍습과 자연환경이 다른 이 머나먼 곳에 정착하기까지 그들이 겪었을 고통과 설움은 표현하기 힘들 것이다. 생각만 해도 세월을 이겨낸 그들이 애잔했다. 우리와 전혀 다르게 생긴 에스토니아인이 사는 이 낯선 타국에서 우리의 모습을 만난 반가움 때문이었을까.

탈린에서는 발트 3국을 여행하며 쉽게 마주치기 힘든 한국 관광객들도 쉽게 눈에 띈다. 길거리에서 한국어를 들으니 반갑다. 북유럽 여행 중에 잠시 들른 모양이다. 핀란드 헬싱키에서 고속선을 타고 한 시간 삼십 분 정도면 탈린에 닿을 수 있다. 헬싱키까

지는 인천에서 직항 비행기가 있다. 탈
린은 발트 3국 중 북유럽 국가와 가장
가까워 관광객이 많다. 북유럽 국가들
에 비해 물가도 싸고 세금도 저렴해 북
유럽인들도 쇼핑을 위해 이곳을 자주
찾는다고 한다.

　작은 상점들을 지나 비루 케스쿠스
와 스톡만과 같은 현대적인 쇼핑센터
로 향했다. 북유럽과 인접해서 그런지 우리나라에서 유행 중인 북유럽 스타일의 디자
인 소품이 즐비하다. 저녁식사를 위해 '할머니의 집'이라는 뜻의 에스토니아 전통식당
인 '마나에마 유레스'를 찾았다. 따뜻한 수프와 맛있는 빵, 두툼한 고기가 어우러진 식
사는 하루의 수고를 보상하기에 충분했다.

　쇼핑이 목적이 아니었는데도 여러 상점을 둘러보다 보니 어느새 두 손에 이것저것
기념품이 가득 들려 있다. 호텔로 돌아와 온천을 하며 하루의 피로를 풀었다. 말린 자
작나무 가지로 등을 두드리는 핀란드식 사우나가 이곳에서도 인기다. 열기로 가득한
사우나에서 자작나무 가지로 온몸을 두드려가며 하루의 피로를 씻어냈다. 탈린은 시
간이 가면 갈수록 더 매력적으로 다가온다.

소마 국립공원과 패르누

'유럽의 아마존' 소마 국립공원과
보드족의 천국 패르누

리투아니아의 빌뉴스에서 시
작된 여행이 발트해의 끝, 에스
토니아의 수도 탈린까지 이어졌
다. 중세의 도시 탈린에서 여행
을 마무리하고 라트비아 리가로
돌아가는 것으로 발트 3국 여행
은 마무리할 예정이다. 에스토니
아를 떠나기 전에 반드시 들려야
하는 곳이 있다. 유럽에서 원시

적 자연이 가장 잘 보전된 소마 국립공원이다. 에스토니아 동쪽을 돌아 탈린에 왔다
면 라트비아로 돌아가는 길은 에스토니아 서쪽을 따라 소마 국립공원과 해안도시 패
르누를 거치는 여정이다.

에스토니아는 유럽의 아마존으로 불릴 만큼 면적의 3분의 1이 울창한 숲이다. 그 숲
은 라헤마 국립공원과 소마 국립공원으로 지정, 보호되고 있다. 탈린으로 가는 길에
방문한 라헤마 국립공원은 강과 폭포가 어우러진 삼림보호지역이었다. 한편 소마 국
립공원은 유럽에서 원시적 자연이 가장 잘 보존된 습지로 유명하다. 에스토니아어로
소마는 '젖은 땅', 즉 습지라는 뜻이다. 유럽에 원시적 자연이라는 표현이 잘 어울리지
않을 것 같지만, 빙하기에 형성된 이 지역의 경우 늪지대와 호수가 많고, 덩달아 철새
도래지 등 야생이 잘 보존돼 있다. 습지 위에 수만년에 걸쳐 형성된 이끼류들이 켜켜
이 쌓여 형형색색의 양탄자를 깔아놓은 듯 장관을 이룬다. 또한 지대가 낮아 3월 말과

4월 초 수면이 높아지는 계절에는 카누를 타고 래프팅을 즐길 수 있고, 겨울에는 설피를 신고 하이킹을 할 수 있다.

아침 일찍 출발한 차는 끝없이 펼쳐진 설원을 달려 소마 국립공원에 도착했다. 눈덮인 국립공원은 조용하고 평화로웠다. 비버 관찰 투어가 관광객에게 인기 있다고 하지만 프로그램에는 참여하지 않았다. 대신 눈길을 따라 산책을 즐기기로 했다. 소마에는 커다란 늪이 다섯 개 있는데, 농경과 수렵만으로 살아가던 고대인이 살던 곳이다. 이 지역이 유럽 자연의 보고가 된 이유는 오래도록 사람의 손길이 닿지 않고 자연 그대로 보존됐기 때문이다.

눈이 가득 쌓인 늪지대는 대지와 별로 다를 게 없어 보였다. 안내문과 높이 쌓인 가지와 나뭇잎만이 늪지대임을 짐작케 한다. 안내문을 읽고 습지 위 길을 따라 끝없는 설원을 걸으니 영화의 한 장면처럼 현실감 없는 풍경들이 펼쳐졌다. 이곳은 뇌조와 황금 독수리를 포함한 크고 작은 새와 동물의 피난처다. 딱따구리, 올빼미, 큰 도요새 등 새들의 천국이고, 숲에는 엘크, 사슴, 멧돼지, 늑대, 곰이 살고 있다.

야생동물을 확인할 길은 없었지만 곳곳에 산재한 호수에는 비버들이 댐을 쌓고 물길을 터놓은 흔적이 있어 운치를 더해주었다. 라헤마 국립공원과 마찬가지로 지나치게 개체 수가 늘어난 비버들이 골칫거리라고 하지만 부지런히 일하는 비버들의 모습도 관광자원으로 활용되고 있었다.

에스토니아 정부는 문명의 손길이 닿지 않게, 태고의 역사를 고스란히 간직할 수 있게, 소마 국립공원을 지키려고 많은 노력을 기울이고 있다. 관광보다는 보존에 중점을 두었고, 그래서 사람의 접근이 쉽지 않고 편의시설도 최소화했다.

탁 트인 설원, 충만한 평화

소마 국립공원을 뒤로하고 서쪽으로 한 시간여를 달려 발트해 연안 도시 패르누에 도착했다. 패르누는 에스토니아 최고의 여름 휴양지다. 길고 하얀 모래 해변, 얕은 바다, 그리고 무엇보다 '에스토니아 최고의 태양'을 자랑하는 곳이다. 여름 휴양지의 겨울 해안은 스노 카이트 보딩을 하는 사람들과 얼음 빙판이 된 바닷가에서 레이싱하는 차들이 차지하고 있었다. 모두 낯선 스포츠였지만 바람에 의지해 스노보드를 타고 설원 위를 질주하는 모습이 흥미로웠다. 여름철이면 수많은 레스토랑, 칵테일 바, 온천에서 편안하고도 여유롭게 휴식을 취한다. 그러나 미끄러지듯 달리는 차들과 바람결을 따라 보드를 즐기는 젊은이들로 가득한 겨울도 색다른 휴양지 분위기로 충분하다.

잠시 휴식을 취할 겸 차를 한잔 마시려 리조트에 들어서니, 밖의 눈 덮인 겨울 날씨와 달리 온천 열기로 가득하다. 창밖을 바라보니 운행하지 않는 요트들이 나란히 정박해 있다.

해안가를 거쳐 패르누 시내로 들어섰다. 거리에는 벼룩시장이 열리고 있었다. 길 따라 늘어선 노점을 구경하다 보니 우스 스트리트의 패르누 방문자 센터에 도착했다. 지도와 안내서, 숙박 및 식당에 관한 정보를 얻을 수 있었다. 친절한 직원은 이곳의 여름철 모습을 보여줄 수 없어 너무나 안타까워하면서, 여름철 제공하는 무료 시티 투어를 가이드 없이 혼자 할 수 있도록 지도에 상세히 표시해 주는 친절을 베푼다. 설명을 듣고 길로 나섰는데, 워낙 작고 아담한 도시라 한 시간 정도면 충분히 둘러볼 수 있었다. 관광객이 많지 않아 조용하고도 차분한 분위기였다.

이곳에는 에스토니아에서 가장 세련되고 순수한 바로크 양식의 교회가 있는데, 1768년에 완성된 성 캐서린 교회다. 바로크 시대의 가장 뛰어난 성스러운 건물이라는 엘리자베스 교회는 1750년에 개관했는데 지금까지 여전히 아름다운 모습으로 도시를 지키고 있다.

패르누에서 가장 사랑받는 코이돌라 공원을 지나자 해변으로 향하는 탈린 문에 도달했다. '왕의 문'으로 알려진 바로크 양식의 탈린 문을 지나면 패르누의 아름다운 해변 지역에 이를 수 있다.

백사장의 소나무가 방풍림 역할을 해 북쪽의 바람으로부터 보호받는 해변은 잔잔한

물결과 함께 겨울 바다의 한가로움을 보여주었다. 머물지 못한 아쉬움을 가득 안고 에스토니아 국경을 벗어나 라트비아로 들어섰다. 겨울바람을 몰고 온 여행객을 라트비아의 수도 리가가 따뜻하게 맞아주었다.

노래혁명 '발트의 길'
발트 3국에 면면히 흐르는 민족정신

리투아니아 수도 빌뉴스에서 라트비아 리가를 거쳐 에스토니아 탈린까지 남에서 북으로 600 km가 넘는 긴 여정을 마치고 다시 리가로 돌아왔다. 겨울바람을 등에 이고 도착한 라트비아 수도 리가는 따스하다. 추운 날씨가 익숙해져서인지 리가에 처음 도착했을 때 느꼈던 싸늘함을 다시 느끼지는 않았다. 해가 뉘엿뉘엿 저물어 붉은 노을이 광장을 물들여 포근한 느낌마저 든다. 지난번에는 낮에 걸었는데 이번에는 노을을 배경으로 거닐다 호텔에 닿았다. 발트에서 보내는 마지막 밤이다.

'발트'는 리투아니아어, 라트비아어로 '희다'라는 의미다. 겨울의 발트 3국은 그 말처럼 온통 하얀 세상이다. 평야는 눈으로 덮여 있고 온 세상이 겨울 태양에 반사돼 반짝인다. 살포시 얼어붙은 바다와 해변 위로 하얀 눈이 내려앉아 있고, 먼바다에서 몰려오는 잔잔한 파도는 하얀 포말로 사라져 갔다. 발트 3국은 산과 평야, 바다 모두 하얀 세상이었다.

발트해라는 이름은 소련 지배 시절에 붙여졌다. 에스토니아인들의 민요에서는 '서해'로 불린다. '발트 3국'이라는 명칭 역시 소련이 편의상 붙인 이름이지 공식 명칭은 아니다. 그러나 독립 이후에도 잔재가 남아 지금까지도 발트 3국으로 불리고 있다.

내게도 발트 3국으로 묶여 있는 게 익숙하지만 이들 국가들은 저마다 다른 언어를 사용하고 각자의 문화에 대한 자긍심도 높다. 리투아니아어와 라트비아어는 어군이 같아 연관성이 높지만 서로 쉽게 의사소통을 할 수 있는 정도는 아니다. 에스토니아어는 완전히 다른 독특한 어족이다. 이들 세 나라는 인접해 있다는 지역적 유대와 외세의 지배를 받았다는 역사적 연대의식을 공유하고 있지만 독자적인 문화를 가진, 독립성이 매우 강한 나라들이다.

여행 기간 동안 이들 나라의 낯선 언어를 배워보고 싶었지만 라틴계 언어와 공통점이 없어서 단기간에 배우기 쉽지 않았다. 결국 간단한 인사말 외에는 영어를 사용할 수밖에 없었다. 다행히 만국공통어인 손짓발짓을 섞으면 의사소통에 큰 지장은 없었다.

여행하는 동안, 오랜 시간 외세 지배에도 자신들의 문화를 유지하고 결국에는 평화적인 저항으로 독립을 이뤄낸 이들의 공통점이 무엇일까 생각해 보았다. 그중 하나가 민요에 관한 관심과 애정이 각별하다는 것이었다. 문화적 배경과 언어가 달라 멜로디나 내용이 같지는 않겠지만 세 나라의 음악은 분위기가 비슷하다. 산과 계곡의 변화가 크지 않고 평야와 들판이 끝없이 펼쳐져 있듯 이들의 음악 역시 풍요로운 리듬이 수없이 반복된다. 처음에는 다소 단조롭게 들렸지만 들을수록 그 울림이 깊게 다가왔다. 민요에는 힘들고 고된 농민의 삶, 잦은 전쟁과 외세 지배로 인한 여인의 한, 고향에 대한 그리움 등이 담겨 있다. 마치 우리 정서에 녹아 있는 '한'과 비슷한 정서가 그들을 연결하고 있다는 생각이 들었다.

수백 년 동안 이어져온 지배에 항거하면서 슬픈 감정을 예술로 승화시킨 것이 민요다. 조국의

아름다움과 고향에 대한 애정을 담은 민요는 사람들에게 민족의식을 북돋아 주는 역할을 해왔
다. 그 전통은 '노래 혁명'으로 이어졌다. 에스토니아 탈린에서 라트비아 수도 리가를 거쳐 리투
아니아 수도 빌뉴스에 이르는 600㎞를 200만 명이 넘는 사람들이 끝도 없는 숲과 평야에서 손
을 잡고 평화와 독립의 노래를 불렀다. 노래 '발트의 길'을 통해 발트 3국 사람들은 무력을 사용
하지 않고 평화와 독립을 얻어냈다. 평화와 인류 화합에 대한 상징으로 자리 잡은 '발트의 길'을
통해 긴장이 끊이지 않고 남과 북이 대치하고 있는 우리의 현실이 떠올랐다. 수백만 사람들이 민
주주의를 외치며 참여했던 촛불집회도 같은 염원이었으리라.

리투아니아와 라트비아에서는 4년, 에스토니아에서는 5년에 한 번씩 노래 축제가 열린다. 축제 기간에는 전 세계에서 해외 동포와 지방 사람들이 몰려든다. 발트 3국에서 '노래'는 독립과 민족의식의 상징이 되어 있는 듯하다.

생각지 못했던 IT 강국, 에스토니아

여행하면서 놀랐던 것은 세계 최대 정보기술(IT) 강국을 꿈꾸는 한국처럼 IT 강국으로 성장하려는 에스토니아였다. 에스토니아에서는 어디서나 무선 인터넷 연결이 가능했다. 인구 대비 인터넷 연결 가능성을 따지면 유럽 전체에서 최상위권이라고 한다. 인터넷이 일상 생활에 존재하면서 2005년 세계 최초로 전자선거를 실시했고, 2007년 국회의원 선거 역시 전자선거로 치렀다고.

주민등록증에는 마이크로 칩이 부착돼 일상생활에 활용된다. 주차권과 버스표 역시 주민등록증이나 스마트폰으로 구입한다. 그 덕분에 여행 내내 시내 주차장 곳곳에서 주차요금을 지불하는 데 곤란을 겪기도 했다. 시민들이 공공장소에 주차하고 스마트폰을 들여다보는 이유를 뒤늦게 깨달은 것이다.

에스토니아에서 IT산업이 발전한 데는 역사적 이유가 있다. 소련 지배 시절 에스토니아 젊은 이들은 일방적으로 강요하는 사회주의 체제에 대해 반감을 가졌고, 인터넷을 통해 바깥세상과 교류하며 해소했다고 한다. 체제 유지를 위해 강요하는 일방적인 인문학 대신 컴퓨터 등 과학기술에 더 관심을 갖게 됐다고. 전 국토가 남한의 절반 크기고. 인구도 120만여 명에 불과하지만 유명한 인터넷 사이트 핫메일과 인터넷 전화 프로그램 스카이프 등은 에스토니아인들이 만들어 세상에 내보냈다. 강대국 틈바구니에 긴 지정학적 위치, 넓은 세상과 소통하고자 하는 정서까지 우리와 많이 닮았다는 생각이 들었다.

어느덧 비행기는 리가 공항을 이륙해 핀란드 헬싱키로 향한다. 낯선 듯 친숙했던 발트 3국 겨울 여행은 이렇게 끝이 났다.

발칸반도
낯익은, 혹은 낯선 나라들

유럽 남동부에 자리한 발칸반도에는 낯익은, 혹은 낯선 나라들이 많다.
크로아티아처럼 친근한 나라도 있지만 불가리아, 루마니아, 슬로베니아처럼
'유럽이 맞아?' 싶은 나라도 있고, 몰도바와 보스니아 헤르체코비나,
몬테네그로, 세르비아, 코소보, 알바니아, 마케도니아 같은 익숙지 않은 나라도 있다.

고통의 현대사,
그러나 아름다운 그곳

유럽 남동부에 위치한 발칸반도는 지금이야 여행지로서 크게 낯설지 않지만, 불과 몇 년 전만 해도 절대 여행을 가면 안 되는 분쟁지역이었다. 일반적으로 유럽을 서유럽, 동유럽, 남유럽으로 구분하는데, 발칸반도는 범위와 지형적 경계가 명확하지 않아서 이 분류를 따르기가 애매하다. 발칸은 '산'을 뜻하는 터키어에서 유래했는데, 오스만제국 지배기에 불가리아와 세르비아에 걸쳐 있는 발칸 산맥 남쪽 지역을 이르는 말로 쓰이다 19세기 이후에는 반도 전체를 이르는 말이 됐다.

발칸반도는 아드리아해, 이오니아해, 에게해, 마르마라해, 흑해에 둘러싸여 있다. 북쪽으로 돈강, 사바강, 쿠파강을 경계로 이탈리아, 오스트리아, 헝가리, 우크라이나 남쪽 지역이 해당한다. 지중해를 기준으로 보면, 유럽 동쪽 끝에 있는 발칸반도는 서쪽으로는 이탈리아 반도와 아드리아해를 마주하고 있고, 흑해와 에게해 너머로는 터키를 바라보고 있다.

이름의 유래에서 알 수 있듯 이곳은 산악지역이 많아 지리적으로 유럽과 분리돼 있었기 때문에 역사적으로 고립돼 발전해 왔다.

이곳에는 TV 여행 프로그램 등으로 인기를 끈, 크로아티아처럼 친근한 나라도 있고, '이곳이 유럽 맞나?'라는 생각을 들게 하는 불가리아, 루마니아, 슬로베니아가 있다. 또 전혀 들어본 적 없는 나라들도 있다. 몰도바와 유고슬라비아 연방 체제에서 독립한 보스니아 헤르체코비나, 몬 테네그로, 세르비아, 코소보, 알바니아, 마케도니아가 그 경우다.

하지만 발칸반도는 고대부터 아시아와 유럽을 연결하는 중요한 지리적 요충지여서 부침이 많 았다. 또한 오스만튀르크(오스만제국)가 성장해 유럽과 단절되면서 유럽 중심의 역사에서는 비 껴 있었다. 이곳 발칸 국가들의 역사는 일반인이 이해하기가 쉽지 않다. 동방정교인 비잔틴제국, 이슬람교인 오스만제국, 로마가톨릭인 오스트리아-헝가리 제국 등 다 양한 국가가 성장하고 충돌하면서 민족, 언어, 종교, 문화, 나아 가 정치적으로도 다양한 세력이 뒤섞여 매우 복 잡해졌기 때문이다. 이러한 다양성은 당연히 갈등을 몰고와 고대, 중세 시대는 물론 현대에 와서까지 크고 작은 전쟁을 치러야 했다.

　그러나 발칸반도의 자연은 더없이 아름답다. 디나르알프스 산맥이 슬로베니아, 크로아티아, 보스니아 헤르체고비나, 세르비아, 몬테네그로, 알바니아를 지나고, 발칸 산맥이 불가리아 중부와 세르비아 동부에 걸쳐져 있으며, 그 남쪽으로는 로도피 산맥, 북쪽으로는 트란실바니아알프스 산맥이 뻗어 있다. 이렇게 아름다운 자연의 품 안에 안겨 있으니 평화스러울 법도 한데 발칸반도는 '남동 유럽'이라는 명칭 대신 '유럽의 화약고'라는 별칭으로 더 많이 불린다. 특히 유고슬라비아 연방이 해체되는 과정에서 내전이 벌어져 수많은 사람들이 목숨을 잃었다.

　발칸반도의 역사를 잠깐 살펴보자.

　1912년 그리스, 세르비아, 몬테네그로, 불가리아가 결성한 발칸동맹이 러시아의 지원을 받아 오스만제국을 공격, 1차 발칸전쟁이 발발한다. 이때 오스만제국은 대패했고, 남은 영토 분배 과정에서 발칸동맹 국가 간 불화로 2차 발칸전쟁이 발생한다. 발칸전쟁을 거쳐 신흥 강국으로 성장한

세르비아는 발칸반도 내 슬라브 민족을 통일해 강력한 국가로 성장하고자 했다. 그러자 다민족 국가인 오스트리아-헝가리 제국이 맞서 발칸반도는 제1차 세계대전의 직접적인 도화선이 됐다.

1914년 오스트리아 황태자가 암살당한 사라예보 사건으로 오스트리아-헝가리 제국이 세르비아에 선전포고를 하면서 동맹국 간의 관계가 틀어져 1차 대전의 발화점 구실을 하게 된다. 1차 대전 이후에는 오스트리아-헝가리 제국과 오스만제국이 해체되면서 신생국가들이 새로 생겨난다. 세르비아는 이들 신생국가 중 상당수를 흡수해 유고슬라비아 왕국을 수립하면서 범슬라브주의를 실현한다.

유럽의 화약고, 1·2차 세계대전으로 이어진 고통의 현대사

전쟁의 역사는 2차 대전으로 이어진다. 1939년 무솔리니의 이탈리아가 알바니아를 병합하면서 발칸반도는 동맹국 지배하에 놓이게 되었으나 2차 대전 후에는 대부분의 국가가 소련의 점령하에 들어갔다. 불가리아, 루마니아, 알바니아 등은 소련의 위성국이 되었고 유고슬라비아는 티토주의를 바탕으로 독립적인 사회주의 국가를 탄생시켰다. 소련연방이 해체되고 잇달아 유고슬라비아가 해체되는 과정에서 코소보사태 등 민족 간 대립으로 이어져 수없이 많은 사람이 죽었다.

다행히 국제사회의 노력으로 평온을 찾고 있다. 발칸반도는 피로 얼룩진 현대사의 현장이지만, 한편으로는 천연의 아름다움이 보존된 곳이다. 람사르협약이 지정한 국제적으로 중요한 습지가 보존돼 있고, 발칸반도 최대의 호수인 슈코더르호는 유럽 최대 조류보호구역인데 빼어난 아름다움을 자랑하고 있다. 전쟁을 이겨낸 사람들이 동서양을 아우르는 독특한 문화를 지키면서 어떻게 살아왔는지 그 역사적인 숨결도 느껴보고 싶다. 알바니아와 몬테네그로 사이에 있는 아름다운 호수와 안개 자욱한 숲 속 수도원이 담긴 한 장의 사진을 보며 언젠가 꼭 가보리라는 다짐을 드디어 실현하게 됐다. .

발칸반도의 첫걸음은 세르비아의 수도 베오그라드에서 시작한다. 비행기 밖으로 초록 경관이 펼쳐진다. 비행기가 하강하면서 도시의 풍광이 차츰 드러난다. 어느덧 비행기가 베오그라드의 공항에 조용히 착륙했다.

Serbia
세르비아

티미쇼아라
Timisoara

루마니아
Romania

베오그라드
Belgrade

세르비아
Serbia

수도 베오그라드

무너지고 다시 서고···
애달퍼 더 아름다운 하얀 도시

발칸의 관문인 세르비아 베오그라드 공항에 도착하면서 작은 문제가 발생했다. 몸은 무사히 도착했는데 짐이 도착하지 못했다. 연결 편에서 비행기에 옮겨 싣지 못한 것이다. 난감한 상황에 의사소통도 원활하지 않아 짐의 행방을 찾는 데 시간이 한참 소요됐다. 다행히 짐이 어디 있는지 확인하고 다음날 같은 시간의 비행기로 받기로 했다. 짐 태그는 짐을 찾기 전까지 꼭 별도로 보관하고 있어야 한다는 걸 다시 한 번 상기했다. 항공사 관계자로부터 여러 차례 확답을 듣고서야 공항을 나섰다. 낯선 곳에서 액땜한 셈치자고 스스로를 위로하고, 예약해 둔 렌터카를 찾아 베오그라드에 들어섰다. 늦은 밤이었다.

장시간 비행에 작은 소란이 겹쳐 피곤
했는지 침대에 눕자마자 잠이 들었는데,
시차 탓인지 캄캄한 새벽에 눈을 떴다.
어슴푸레 밝아올 때까지 침대에서 뒤척
이다 이른 아침 식당으로 향했다. 간단
히 아침식사를 한 다음, 짐가방이 도착
하지 않아 한국에서 출발할 때 입은 차
림 그대로 시내 산책에 나섰다. 하루를

시작하는 사람들의 발걸음이 분주한 와중에도 도시는 조용하고 차분한 분위기였다.

'하얀 도시'라는 뜻의 베오그라드는 세르비아 수도로 약 170만 명이 살고 있다. 기원
전 4세기에 생겨난, 유럽에서 가장 오래된 도시 중 하나인데, 석회암 지대에 위치해 이
런 이름이 붙었다. 예전부터 동유럽과 서유럽의 도로들이 만나는 육로의 요충지였으
며, 사바강과 다뉴브강이 합류하는 교통 요지다. 여러 세력이 충돌하는 요충지에 자리
잡고 있어서 수많은 전쟁을 겪었고, 오늘날까지도 파괴와 재건을 반복하고 있다. 발칸
반도 중앙 판노니아 평원에 자리한 베오그라드는 발칸으로 가는 관문이자 중부 유럽
으로 연결되는 통로 역할을 하고 있다.

베오그라드 역사는 발칸의 역사만큼이나 복잡하다. 오스만튀르크와 오스트리아-헝
가리 제국의 지배를 거치는 동안 베오그라드는 두 세력의 격전지였다. 그러다 1918
년 슬라브족이 세운 세르비아-크로아티아-슬로베니아 왕국의 수도가 되었고, 1929
년 남슬라브국가를 의미하는 유고슬라비아로 국가명이 바뀌었다. 2차 대전을 치른 후

에는 티토를 수반으로 하는 사회주의 연방 공화국의 수도가 되었다. 그 후 2006년 몬테네그로가 분리되고 2008년 코소보가 분리 독립하면서 베오그라드는 세르비아 공화국의 수도가 됐다.

서방과 동방 사이의 교차점 역할을 해온 베오그라드의 역사적 중심지는 칼레메그단('싸움터 요새'라는 뜻의 터키어에서 유래)이다. 이곳은 사바강과 도나우강이 합류하는 고지대에 위치해 있다. 이곳에 있는, 2000년의 역사를 자랑하는 베오그라드 요새 지역에는 기원전 처음으로 도시가 세워졌다.

과거와 현재의 공존, 베오그라드

다행히 호텔에서 멀지 않아 도시 구경 겸 걸어서 찾아가기로 했다. 오래된 도시답게 과거와 현재가 공존하는 베오그라드는 오랜 건물들 사이로 작은 기념품 가게와 카페들이 관광객의 발길을 끌어들인다. 울퉁불퉁 돌길을 따라 걷다 보면 모퉁이를 돌때마다 도시의 숨겨진 매력들이 하나둘 모습을 드러낸다. 좁은 자갈길을 걸으며 특이한 건축물을 구경했다. 역사 유적지인데도 현대의 생활 속에도 자리 잡고 있는 모습

이 인상적이었다.

오래된 고딕풍 건물과 공원을 지나 칼레메그단 공원에서 가장 높은 데 있는 요새에 올랐다. 유적지라고 해서 도심과 분리된 느낌이라기보다 동네 공원 같은 편안함이 느껴졌다. 성벽에 오르니 시내가 한눈에 보인다. 중심지를 비롯한 도시 전체가 사방으로 탁 트여 있다. 강과 숲이 어우러진 도시는 초록의 나무와 빌딩, 나지막한 집들이 조화를 이루며 펼쳐져 큰 전원마을 같다. 공원 중앙에는 군사박물관이 자리하고 있다. 오랜 역사 동안 군사적 요충지였던 만큼 고대부터 오늘날까지 사용되어 온 다양한 병기가 전시돼 있었다. 전시품들은 세르비아와

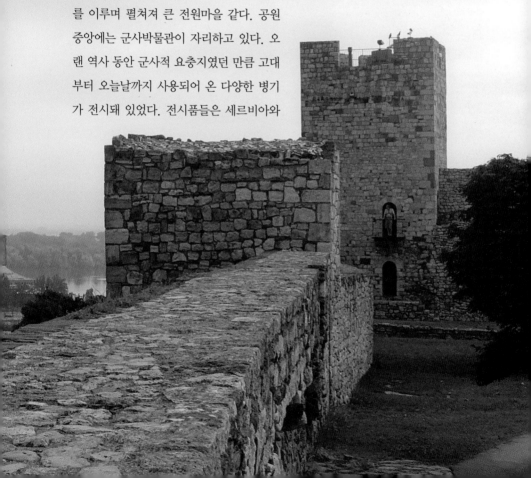

베오그라드가 어떻게 변모해 왔는지 보여주고 있다.

산책길 따라 다시 도심으로 돌아오는데 순찰하는 경찰의 손에 낯익은 수첩이 들려 있다. 수첩 겉표지에 한글이 보여 조심스레 물었더니 공원에서 주웠단다. 흘린 줄도 몰랐는데. 잃어버린 수첩을 찾아준 경찰에게 감사함을 전하고 기념사진을 찍었다. 공항에서 큰 짐은 잃어버리고 시내에서 작은 수첩은 기적적으로 되찾아 베오그라드에서의 추억이 하나 더 늘었다. 발칸 여행의 좋은 징조라 여기고 시내에서 점심을 즐기고 베오그라드를 떠날 때 다시 공항에 들르기로 했다.

다뉴브 강가 언덕 아래 카페와 클럽에서 라이브 음악이 흘러나왔다. 그곳에는 화랑이 즐비한, 예술가들의 산책과 만남의 장소로 유명한 거리가 있다. 햇살과 더불어 한낮의 오후를 보내며 길거리 공연을 즐겼다. 많은 이들이 모여 함께 즐기고 있었다. 그들의 웃음소리에 첫날의 불편함이 사라졌고, 새로운 추억이 쌓였다.

Romania

루마니아

우크라이나
Ukraine

헝가리
Hungary

몰도바
Moldova

루마니아
Romania

시기쇼아라
Sighisoara

티미쇼아라
Timisoara

시비우
Sibiu

브라쇼프
Brasov

세르비아
Serbia

부크레슈티
Bucharest

불가리아
Bulgaria

루마니아
01

티미쇼아라와 시비우
민주화 혁명이 지나간 자리
지붕도 돌담도 붉디 붉구나

전날 늦은 저녁 세르비아 수도 베오그라드를 떠나 동쪽으로 인접해 있는 루마니아로 향했다. 목적지는 베오그라드에서 북쪽으로 150㎞ 거리에 있는 루마니아 서부도시 티미쇼아라다.

베오그라드에서 루마니아 티미쇼아라로 가는 길은 평탄하지 않았다. 두 시간 삼십 분 정도 예상하고 출발했으나 국경선을 넘어 루마니아 국도에서 만난 작은 샛길은 생각보다 험했다. 길을 잘못 들어선 게 아닌지 불안감이 들 정도로 시골길이 좁아 운전자를 긴장하게 했다. 한적한 시골길 풍경을 기대했지만, 진창길을 물을 튀며 달렸고, 유리창에 나뭇가지들이 쓸리는 좁은 산길이 계속됐다. 사고 없이 무사히 목적지에 도착하길 바라며, 운전대를 잡은 손에 자꾸 힘이 들어갔다. 다행히 야간운전을 무사히 마치고 밤늦게 티미쇼아라에 들어설 수 있었다. 예약한 작은 호텔을 찾아 고단한 몸을 누이고 아침까지 편히 잠을 잤다.

루마니아는 남유럽의 공화국으로, 북쪽으로 우크라이나, 동쪽으로는 몰도바, 서쪽으로 헝가리와 세르비아, 남쪽으로 다뉴브강을 끼고 불가리아와 국경을 접한다. 흑해와 인접한 루마니아의 한복판으로 카르파티아 산맥이 지나간다. 루마니아 중앙을 가로질러 루마니아의 역사도시 시기쇼아라까지, 그날의 일정은 꽤 길었다. 가면서 루마니아의 작은 도시들을 둘러볼 예정이었다.

먼저 출발 전에 아침 산책을 하면서 티미쇼아라를 둘러보았다. 티미쇼아라는 루마니아 서부에 있는 티미슈주의 주도로, 루마니아 민주화혁명이 시작된 곳이다. 1차 대전 이전에는 오스트리아–헝가리 제국의 땅이었는데, 독재자 니콜라에 차우셰스쿠 정권이 이곳에 강제로 루마니아인을 이주시킨 다음 감시하고 탄압했다.

오러슈티에 요새 유적   시비우 마레 광장

　루마니아 민주화혁명은 1989년 반정부 발언을 한 헝가리계 목사 퇴케시 라슬로 체포사건이 발단이 됐다. 티미쇼아라를 중심으로 헝가리계 주민들이 루마니아 정부에 항의 시위를 벌였고, 정부군은 유혈진압으로 맞섰다. 유혈진압 소식이 퍼져나가면서 차우셰스쿠 반대시위가 루마니아 전역으로 확산됐다. 차우셰스쿠는 결국 체포되고 총살로 생을 마감하고 만다.

　티미쇼아라와는 개인적인 인연이 있다. 한국에서 만난 독일어 선생이 가족이 사는 곳이라고 설명해서 지도에서 한참 찾았던 기억이 있다. 그는 자기 가족들도 당시 민주화 시위에 참여했다고 말했다. 그 얘기를 들을 때는 지구 반대편 까마득히 낯선 곳이라고 생각했는데 이렇게 세월이 흘러 오게 되니 감회가 새로웠다.

　도시는 작고 아담했다. 어제 늦은 밤 도착해 분위기를 살펴볼 여유가 없었지만 아침

독일식 건축 양식, 시비우의 눈

햇살을 받은 도시는 깨끗하고 세련된 느낌이었다. 세월이 흘러 민주화혁명 당시의 흔적은 찾아보기 어렵다. 광장과 성당을 중심으로 중세풍의 아름다운 전원도시 같은 풍경이 계속되었다. 자신의 삶을 희생해 민주화를 쟁취한 역사에 고즈넉한 풍광이 어우러지니 가슴 먹먹한 감동이 묵직하게 전해져 온다.

루마니아 문화의 중심지, 시비우

티미쇼아라의 감동을 뒤로하고 시비우로 향했다. 시비우에 들어서기 전, 오러슈티에에 잠시 들렀다. 이곳에는 고대 다키아왕국의 번영을 보여주는 요새 유적이 있다. 유네스코 문화유산에 등재돼 있는 이 요새는 기원전 1세기부터 기원후 1세기까지 로마 제국의 침공에 맞서 오러슈티에 산맥에 만든 군사요충지다. 지금은 주춧돌만 남은 요새 유적지를 산책하듯 둘러보고 시비우로 발길을 돌렸다.

시비우는 루마니아 한가운데 트란실바니아 지방에 있는 도시로, 루마니아 문화의 중심지다. 시비우는 고대 다키아 지역이 로마에 점령된 후 건설된 식민도시였다. 그 후 12세기 독일인 이민자들이 이곳에 정착해 14세기 무렵에는 독일계 주민들을 위한 행정, 상업 중심지로 번창했다. 1차 대전 이후 오스트리아-헝가리 제국에서 루마니아 왕국의 영토가 되었으나 루마니아 중심에 남아 있는 독일의 문화적 흔적은 여전히 강렬히 남아 있다. 1928년에는 이곳에 루마니아 최초의 동물원이 세워졌다. 역사적으로 여러 차례 전쟁 피해를 입었지만 학교와 성당 등 중세 독일식의 유적이 여전히 남아 있다. 2007년 유럽연합이 시바우를 '유럽의 문화수도'라고 지정했을 정도로 중세도시의 분위기를 고스란히 간직하고 있다.

점심식사도 할 겸 구시가지로 들어섰다. 집집이 붉은 벽돌로 이뤄진 골목길을 걸으니 꼭 중세로 시간여행을 온 기분이 들었다. 마레광장을 중심으로 건재한 아름다운 성당들은 오랜 기간 번성해온 문화도시의 면모를 유감없이 드러내고 있었다. 붉은 지붕에 작게 난 창문은 마치 눈을 게슴츠레 뜬 모양으로, 시비우의 눈이라고 불린다. 지금은 묘한 웃음을 짓는 것으로 보이지만, 독재자 차우셰스쿠 시절에는 국민을 감시하던 독재자의 눈초리처럼 보인다고 해서 '감시의 눈'이라고도 불렸다고 한다.

대광장에 있는 성당 안으로 들어섰다. 오스트리아풍 바로크 양식의 성당들은 빈에서 보았던 화려한 모습 그대로였다. 아름다운 천장화와 오묘한 스테인드글라스가 제단의 성스러운 위엄을 더 높여주었다. 시비우도 루마니아 민주화혁명의 역사를 간직하고 있다. 1989년 민주화 혁명 당시 대광장 주변에서 총격전이 벌어져 많은 사상자가 발생했다.

고대와 중세, 현대가 아름답게 어우러진 대광장 한편의 노천식당에서 가볍게 식사하며 한가롭게 오후를 즐겼다.

트란실바니아
드라큘라의 고향
늦은밤 골목길, 갑작스런 비바람에 '오싹'

건축물 하나에도 역사와 더불어 사회에 대한 비판이 담겨 있는 흥미로운 곳이 시비우다. 오후의 햇살을 즐기다보니 어느덧 해가 뉘엿뉘엿 기울어 간다. 여유를 부리다가 어제처럼 늦은 밤 험한 길을 운전할 수도 있을 것 같아 서둘렀다. 다음 목적지인 시기쇼아라까지는 94km로 한 시간 삼십 분이면 도착할 수 있지만 도중에 비에르탄의 요새성당을 둘러보려면 서둘러 출발해야 한다.

16세기에 건립된 비에르탄 요새성당은 카르파타아 산맥 기슭에 요새처럼 자리 잡고 있다. 도시를 보호하는 요새로서의 기능과 성당의 기능을 모두 담은 건축물이다. 루마니아의 트란실바니아 지방에는 요새성당이 몇 군데 있는데, 이 중에서 1993년 비에르탄 요새성당만 세계문화유산으로 등재됐다. 1999년에 나머지 성당들도 세계문화유산에 등재되면서 트란실바니아 요새성당으로 이름을 바꾸었다.

하얀 성벽 위 지붕이 붉은 이 성당은 교회라기보다는 군사 요새처럼 보였다. 이제 더이상 이교도의 침략을 막아야 할 일은 없지만, 웅장한 위용만큼은 여전했다. 성지순례코스였으면 여유 있게 다른 성당들도 둘러볼 수 있겠지만, 허락된 시간이 짧아 비에르탄의 요새성당만 둘러본 후 시기쇼아라로 차를 돌렸다.

루마니아 트란실바니아 지방에 위치한 시기쇼아라는 드라큘라의 고향으로 유명하다. 시기쇼아라에서 태어난 블라드 체페슈는 1436년 발라키아 공국의 영주가 되어 이 지역을 지배한 사람이다. 정식 이름은 블라드 3세 드라큘레아였는데 사람들은 그를 드라큘라라고 불렀다. 드라큘라는 루마니아어로 악마나 용을 뜻하는 '드라크'라는 단어에서 유래했다. 처음에는 그가 용을 문장으로 사용해서 그렇게 불렀다.

한편 블라드 3세가 루마니아어로 꼬챙이, 가시 등 뾰족한 것을 의미하는 '체페슈'라고 불리게 된 것은 죄인이나 전쟁포로 등을 기사단 창대에 꽂아 죽이는 잔인한 처형방법을 사용했기 때문이다.

그는 당시 막대한 부를 축적한 독일계 작센인 상인들에게 세금을 걷어 루마니아인들의 궁핍한 삶을 해결하려고 했는데 이에 저항하는 사람들을 잔혹한 방법으로 처형해서 유명해졌다. 작센인들은 그를 사악한 악마로 묘사하기 시작했고 흡혈귀 드라큘라라고 부르기 시작했다. 1897년, 아일랜드 출신의 영국 소설가 브람 스토커는 이 얘기에 흥미를 느껴 소설 《드라큘라》를 출판했다. 1931년에는 소설을 기반으로 영화로 만들어졌는데, 지금까지도 흥미진진한 스토리로 대중의 사랑을 받고 있다.

드라큘라, 사실은 누구보다 루마니아인을 아꼈던

1999년 유네스코 세계유산으로 지정된 시기쇼아라 역사 지구로 들어서니 파스텔톤으로 채색된 중세풍의 시가지가 나타난다. 좁고 아기자기한 골목길을 지나 광장으로 들어서는데 갑자기 굵은 빗방울이 내리기 시작한다. 번개가 치고 '우당탕탕' 천둥까지

드라큘레아 백작 집 앞 전경

동반한다. 극적인 효과음 덕분에 조금씩 무서워지기 시작했다. 해 떨어져 어두워진 시간, 마치 드라큘라가 활동할 때라는 걸 알리는 것 같다.

500년 된 프레스코로 유명한 언덕 위의 교회, 바로크 양식으로 만들어진 도미니칸 수도원을 지나, 비에 젖은 구불구불한 대리석 길을 걸었다. 비바람에 젖은 광장과 탑을 지나, 잘 보존된 성채와 주택 사이를 거닐었다. 다행히 비가 멈추었고, 여행자의 마음은 어느새 비에 젖듯 낭만에 젖는다.

블라드 백작은 1456년부터 1462년까지 성채 광장 시계탑 근처에 실제로 살았다고 한다. 입구에는 철로 만든 용이 걸려 있다. 루마니아어로 용을 뜻하는 '드라코'는 힘과 지혜를 상징한다. 드라큘라라는 말에서 시기쇼아라 주민이나 루마니아인들이 실제로 블라드 백작을 어떻게 생각하고 있는지 알 것 같다.

발라키아 공국의 통치자 블라드 백작은 아일랜드 출신의 영국 작가의 손에서 다시 창조됐다. 루마니아인의 입장이 아닌 이방인의 입장으로 표현돼 다소 억울할 법도 하지만, 현재 루마니아의 주요 관광자원이 되었으니 어느 정도 위안이 될 듯하다.

소설의 모티브가 된 것은 그의 잔인한 처형 방법이었을 테지만, 그 이면에 세금 문제가 도사리고 있다는 사실은 매우 흥미롭다. 세금을 내야 하는 사람의 입장에서는 백작이 흡혈귀로 보였겠지만, 혜택을 보는 이들에게는 영웅이었다는 얘기를 들으며, 예나 지금이나 세금을 걷고 사용하는 문제는 매우 복잡하고 어려운 일이란 생각이 들었다. 어느덧 날이 저물어 어두워진 도시를 떠나 다음 목적지인 브라쇼브로 향했다.

브라쇼브 역시 트란실바니아 지방의 일부로 브라쇼브주의 행정 중심지이다. 1951년부터 1961년까지는 이오시프 스탈린의 이름을 따 오라슐스탈린으로 불렸다. 루마니아

유네스코 세계유산으로 지정된 시기쇼아라 역사 지구

의 중앙부로 카르파티아 산맥에 둘러싸여 있고, 수도 부쿠레슈티와는 160여㎞ 떨어져 있다. 고딕, 바로크, 르네상스 건축물이 가득한 이 중세 도시는 역사적 · 문화적 명소들로 유명하다. 의회 광장, 아름다운 성 니콜라스 교회, 빈 동쪽 최대 고딕 교회인 블랙 교회는 어떤 모습으로 반겨줄까. 어둠이 짙게 깔린 브라쇼브에 도착했다. 거리 불빛마저 사라져 잠들어 있는 도시를 깨우기에는 역부족이었다.

루마니아는 아직 낯설지만 매력적인 여행지로 마음을 설레게 한다. 트란실바니아 지역의 순수한 중세 마을을 지나 또 어떤 만남이 기다릴지 기대하며 잠을 청한다.

브라쇼브와 브란성
역사를 품은 도시, 닮은 듯 다른 풍경

인기를 모았던 프로그램 '꽃보다 누나'의 영향으로 유럽 여행지가 서유럽에서 동유럽과 발칸반도로 넓어지고 있다. 곳곳에서 익숙한 우리 말이 들린다. 유럽의 아주 작은 지역이지만, 놀랍도록 풍요로운 문화와 전통을 품은 채 여행자의 발걸음을 기다리고 있다.

이른 아침 창문을 여니 트란실바니아의 푸른 언덕 위에 커다랗게 새겨진 브라쇼브라는 글자가 눈에 들어온다. 할리우드에서나 볼 법한 거대한 글자를 보니, 루마니아 최고 관광지에서 하룻밤을 보낸 게 실감난다. 브라쇼브는 역사적 명소로도 유명하지만 차우셰스쿠 통치에 반대한 시민 봉기가 처음 일어난 곳이기도 하다.

작은 거리를 따라 걸으니 아름답게 채색된, 멋지게 다듬어진 바로크 구조물이 보인다. 넓은 광장에는 오래된 구 시청사가 있다. 13세기에 지어진 이 건물 꼭대기에는 트럼펫 타워가 있다. 트럼펫 타워는 주민들에게 위험이 닥칠 때 이를 경고하기 위해 만든 감시탑이었다. 현재 이 건물은 역사박물관으로 사용 중이다.

주위를 둘러보니 루마니아에서 가장 큰 고딕 교회인 '검은 교회(Black Church)'가 보인다. 빈과 이스탄불에 있는 교회보다도 큰, 유럽에서 가장 규모가 큰 독일 고딕 양식 교회다. 1384년에 짓기 시작해 1477년 완공한 이 교회는 압도적인 위용을 자랑한다. 1689년 '터키전쟁' 때 합스부르크 군대의 공격으로 불 타 벽이 새카맣게 그을려 검은 교회라는 이름을 얻었다. 해마다 복원 작업을 하면서 외관의 그을음을 조금씩 벗겨내고 있다. 그래서 검은 벽돌과 흰 벽돌의 모자이크 같이 보여 검은 교회라는 이름이 무색해지고는 있지만, 외관과 달리 내부는 발코니며, 스테인드글라스 창이며 매우 화려한 모습이다. 여기에 거대한 오르간과 돌기둥이 중후함을 더하고, 벽면을 멋진 터키산 카펫이 장식해 화려함을 보태고 있다. 무게가 자그마치 7t에 이르는 교회 종도 유명하지만 1839년에 만들어진 4,000개의 파이프 오르간이 더 인상적이다. 웅장하게 울려 퍼지는 오르간 소리를 상상하며 잠시 눈을 감아 본다.

교회를 나와 돌아서면, 의회 광장이 나온다. 오래된 중세 분위기를 느낄 수 있는 아름다운 붉은 지붕의 상가들이 줄지어 있다. 사람들이 광장에서 여유롭게 휴식을 취하고 있다. 분수 앞 벤치에 앉은 연인이 사랑을 속삭인다. 모두 아름답다. 분수 앞에 카

페에서 잠시 휴식을 취한다. 카페의 차양에는 '아마도 세계 최고의 도시(probably the best city in the world)'라는 글이 새겨져 있다. 그 문구가 재미있어 슬며시 웃었다.

중세의 마을에 세워진 아름다운 성

구시가지를 벗어나 성 니콜라스 교회에 들렀다. 이 교회는 1392년에 나무로 지었는데, 1495년에 석조 구조물로 대체했고, 다시 18세기 확장 공사를 거쳐 지금은 비잔

드라큘라 성으로 불리는 브란 성 내부

틴, 바로크 및 고딕 양식이 혼재된, 건축학적 걸
작이 됐다. 다른 중세 교회들처럼 커다란 나무문
이 있고 방호벽으로 둘러싸여 있다. 그 안에 높은
첨탑을 자랑하는 교회가 마치 왕국의 성 같은 위
용을 보여준다.

번잡한 관광객 차량을 뒤로하고 브라쇼브에서
남쪽으로 30㎞ 정도 떨어져 있는 브란성으로 향
했다. 이 성은 '드라큘라성'으로 알려져 있는데 상
상과 달리 을씨년스러운 분위기가 아니고, 돌탑
과 흰 벽으로 둘러싸인, 동화에 나오는 성 같다.

브란 성 첨탑

바위 꼭대기 위 60m 높이로 세워진 브란성은
블라드 3세가 잠시 머물렀던 곳이라 드라큘라 성으로 유명하지만 정작 이 성을 주로
사용한 이는 루마니아 왕가의 마리 여왕이었다(1920년부터 1957년까지 거주). 현재
는 박물관으로 사용 중으로 마리 여왕이 수집한 예술품과 가구를 전시, 관광객들에게
도 개방했다. 성에서 내려다본 '브란'은 마치 동화책에 나오는, 그림 같은 마을이다. '
드라큘라'라는 으스스한 흔적은, 작은 기념품들과 벽면을 장식한 중세 기사의 무기 정
도에 남아 있다. 브란성 내부는 작고 아담하게 꾸며졌고, 외부는 자연경관과 아름답
게 어우러졌다.

브란성을 구경하고 다른 성을 찾아 이동한다. 브란에서 50㎞ 떨어져 있는 '페레스
성'이다. 차량으로 한 시간 삼십 분 이동하니 시나이아 마을 산기슭에 있는 페레스성

브라쇼브 의회 광장

에 닿았다. 시나이아라는 이름은 시나이아 수도원이 지어진 이후 붙여졌다. 시나이아 수도원은 성서에 나오는 시나이 산을 본떠서 지었기 때문에 붙은 이름이다. 이후 19세기 말 카를 1세 국왕의 여름 궁전인 페레스성이 지어지면서 휴양지로도 유명해졌다.

독일 르네상스 건축의 걸작인 이 성은 외관이 특히 아름답다. 160개가 넘는 방과 아름다운 첨탑들을 보고 있으면 저절로 동화에 나오는 궁전이 떠오른다. 이 성의 또 다른 특별한 점은 건물에 별도의 발전소가 들어와서 유럽 최초로 전기로 조명도 밝히고, 중앙난방도 사용했다는 점이다.

현재 최고의 관광지로 꼽히지만 차우셰스쿠 집권 당시에는 영빈관으로 사용됐고, 일반인에는 공개되지 않았다. 1989년 12월 혁명 이후 관광객에게 성을 개방하면서 아름다운 성과 왕가의 소장품들도 소개됐다. 루마니아 정부는 2006년 이 성을 루마니아 왕가에 반납했다.

이 성의 이름이 된 페레스 개울이 성 안으로 흘러들어 분수로 이어진다. 건물 내부에는 수많은 동상과 조각상들이 정원과 어우러져 운치를 더한다. 성 내부의 화려함은 유럽의 어느 왕궁 못지않다. 아기자기하면서도 화려해 감탄이 절로 나온다. 이 성을 거닐면 꼭 아름다운 성의 주인이 된 듯한 기분이 든다. 아쉬움을 뒤로 하고 새로운 여정을 향해 길을 나선다. 루마니아의 수도 부쿠레슈티를 향해.

수도 부쿠레슈티
'동유럽의 파리'라 불렸던, 화려한 날들은 가고

드디어 루마니아 수도 부쿠레슈티(Bucharest)에 도착했다. 부쿠레슈티는 루마니아 설화에 나오는 '부쿠르(Bucur)'라는 사람의 이름에서 유래했다. 부쿠르는 설화에 따라 왕자, 어부, 목동, 사냥꾼 등 다양한 직업으로 등장한다. 알바니아어로 아름다움을 뜻하는 '부쿠르(Bukur)'에서 유래했다는 설도 있다.

카르파티아 산맥 기슭과 다뉴브강 사이에는 왈라키아 평원이 있다. 이 평원에 있는 부쿠레슈티는 왈라키아 공국의 수도였는데 1861년 왈라키아와 몰다비아가 합병해 루마니아라는 나라가 만들어져, 루마니아의 수도가 됐다. 1930년대 무렵, 부쿠레슈티는 '동유럽의 파리'로 불릴 만큼 아름다웠으나 2차 대전 이후 차우셰스쿠 통치를 거치면서 유서 깊은 건물들이 수없이 파괴됐다. 특히 1,500명의 사상자를 낸 1977년의 대지진을 겪으

면서 본래의 아름다움을 많이 잃었다.

구시가지에 들어서니 여느 수도처럼 시끌벅적하고 인파가 넘쳐난다. 저녁 무렵 도착한 탓에 도시는 불빛으로 한층 화려함을 뽐냈지만, 곳곳에 공사막으로 가린 건물들이 많아 도시의 아름다움을 느끼기에 충분치 않았

다. 천천히 시내를 걷다 허기를 느껴 식당에 들어섰다. 야외 테이블에서 식사하는 사람들 틈에 앉아 직원에게 현지 음식을 추천받았다. 가볍게 해산물 음식을 먹고 싶었지만, 내륙지방이라 생각보다 가격이 비싸 스테이크와 야채구이를 주문했다. 한창 즐겁게 담소를 나누며 식사하는 현지인들을 뒤로하고 얼른 식사를 마치고 서둘러 나왔다.

조약돌로 된 좁은 거리를 걷는다. 1400년대 초부터 루마니아인, 오스트리아인, 그리스인, 아르메니아인, 유대인 등 다양한 인종의 상인과 장인들이 설립한 공예품 커뮤니티와 길드의 이름이 보였다. 다양한 국적과 문화가 어우러져 살아온 역사처럼 건물들은 바로크부터 신고전주의, 아르누보에 이르기까지 복합적인 건축 양식을 반영하고 있다.

민중의 집, 루마니아 의회 궁전

골목길을 빠져나오다 목적지를 다시 확인하려고 광장에 차를 세웠다. 눈앞에 웅장하고 커다란 건물이 나타났다. 루마니아 의회궁전이다. 의회 궁전을 바라보고 있는데 갑자기 비가 내린다. 조금 전의 평온한 날씨가 무색한, 하늘의 변덕. 번개까지 치더니 제법 굵은 비가 쏟아진다. 시기쇼아라에서 느꼈던 으스스함보다 더 극적인 연출이다. 폭우를 피해 잠시 차에 머물며 광장을 바라본다. 이곳의 지난 역사를 상상해 본다.

의회 궁전은 루마니아의 공산당 지도자 차우셰스쿠의 요구로 건축됐는데, 행정건물로는 미국 국방부 다음으로 세계에서 두 번째로 크다. 북한의 김일성 궁전을 참고했다는 이 건물을 짓기 위해 10만 명의 인부와 1만 2,000명의 군인, 700명의 건축가가 동원됐다. 또한 20여 개의 교회와 1만여 채의 집들이 강제로 철거됐고, 약 5만 7,000명이 강제 이주했다고 한다.

차우셰스쿠는 의회 궁전 테라스에서 연설하고 싶어했지만, 완공되기 전에 민주화혁명이 일어나 1989년 12월 처형됐다. 국민의 눈물과 피로 얼룩진 의회 궁전은 2005년 완공되었고, 지금은 루마니아의 대표적인 랜드마크이자 관광명소가 됐다. 물론 국회의사당으로 이름을 바꿨는데, 사람들은 '민중의 집'이라고 부른다.

1984년 공사가 시작될 무렵에는 공산주의 정부의 본부가 될 예정이었지만 오늘날엔 루마니아의 의회, 부쿠레슈티 국제콘퍼런스센터, 로메나의 현대미술박물관이 자리잡고 있다. 화려함과 호화로운 전시물을 보려고 가이드 투어를 예약했지만 아쉽게도 갑작스러운 폭우로 차에서 내릴 엄두가 안 나서 하는 수 없이 불가리아 국경으로 향한다.

불가리아의 첫 목적지는 벨리코투르노보이다. 불가리아 북동부의 벨리코투르노보

주의 주도이며 얀트라 강이 흐른다. 1878년 베를린조약에 따라 승인된 불가리아 공국은 이곳을 수도로 삼았다가 1879년 4월 17일, 수도를 소피아로 이전한다. 그후 소피아는 지금도 불가리아 수도로 남아 있다.

벨리코투르노보는 과거에는 투르노보라고 불렸지만 1965년 도시의 역사적 가치를 기념하기 위해 '큰', '위대한'이라는 뜻을 가진 불가리아어 형용사 '벨리코'를 붙여 지금의 이름이 됐다. 불가리아에서 역사가 가장 오래된 곳으로, 기원전 3000년부터 사람이 살았다고 하니 볼거리가 많을 듯하다.

　루마니아 수도 부쿠레슈티에서 불가리아 국경을 넘는 건 별로 어려운 일이 아니다. 궂은 날씨, 어두컴컴한 시간에 국경선을 넘는 동양인이 궁금했는지, 경비대가 몇 가지 질문을 던진다. 목적지까지 대략 180여㎞ 인데 국경선을 통과하고, 언덕길을 오르느라 호텔까지 세 시간여 걸렸다.

　불가리아 여행에 대한 기대감을 안고 잠이 들었다.

불가리아 국경의 벨리코투르노보

Bulgaria

불가리아

루마니아
Romania

부크레슈티
Bucharest

세르비아
Serbia

불가리아
Bulgaria

소피아
Sophia

트로얀
Troyan

벨리코트르노보
Veliko Tarnovo

릴라
Rila

카잔루크
Kazanlak

스코페
Skopje

터키
Turkey

그리스
Greece

불가리아
01

벨리코투르노보
흥망성쇠를 거듭한 5000년의 세월,
여전히 아름다운 도시

이른 아침 호텔 레스토랑에서 들려오는 아침인사. 어제와 다른 언어다. '도브로 우
트로!' 불가리아의 아침인사다. 반갑게 웃으며 좌석을 안내하는 호텔 여직원을 따라 불
가리아에서의 첫 아침을 맞는다. 전날 늦은 시간 호텔에 도착해 피로
가 남아 있지만 서둘러 아침식사를 마치니 마음이 설렌다. 호텔 직원
에게 관광지와 도시 정보를 듣고 지도 한 장을 얻어 호텔을 나선다.

벨리코투르노보는 불가리아에서 가장 오래된 도시라니 저절로 기대하는 마음이 커진다. 첫걸음은 가장 중요한 문화 유적지로 꼽히는 중세 요새로 향한다. 이 견고한 요새는 12세기부터 14세기에 걸쳐 지어졌다. 그동안 도시는 급속히 발전해 불가리아 제국의 수도로 성장했다. 14세기 비잔틴 제국이 쇠퇴함에 따라 발칸반도와 슬라브계 정교회의 중심지로 성장, 한때는 '제3의 로마'로 불리기도 했다.

폐쇄된 요새는 위압적인 분위기는 아니었다. 그보다는 조용한 중세 마을의 느낌이다. 돌길을 따라 올라와 보니 차레베츠 언덕 가장 높은 곳에 국왕의 저택이 있고, 옆으로 예수의 유산이라는 총독 교회가 자리하고 있다. 멀리서 온 듯한 관광객과 지역 학생들처럼 보이는 단체 관광객을 따라 성벽 길을 함께 오른다.

요새가 위치한 차레베츠 언덕 공터에는 음향과 조명시설이 설치돼 있다. 뜬금없어 보여 호기심 어린 눈빛으로 우리를 보던 학생에게 물었더니, 이곳에서 공휴일이나 축제일에 열리는 무료 전통 공연을 위한 것이라고 말해주었다. 여러 명의 학생이 모여 서툰 영어로 한마디씩 거들어 설명한다. 낯선 영어를 쓰며 외국인과 대화하는 게 재미있는 모양이다. 1829년 오스만제국과의 전쟁으로 이곳에서 6,000여 명이 희생됐다고 한다.

학생들의 발걸음을 쫓아 트라페지차에 올랐다. 이곳 역시 역사적으로 유서 깊은 언덕이었다. 폐허처럼 보이는 돌 위로 발걸음을 옮기며 과거의 영광스러웠던 순간들을 상상해 보았다. 유적 발굴지를 향해가다 보니 공예거리가 나온다. 대략 200여 년 전에 지어진 집들이 요새와는 분위기가 완전히 달랐다. 공예품과 기념품 가게, 화랑들이 있는 시장거리는 우리의 민속촌과 비슷해 보였다. 강둑을 따라 원형으로 둘러싸인 아름다운 집들을 둘러보았다. 불가리아에서 가장 아름다운 도시로 선정된 이곳이 발칸 문화 관광의 수도로 불릴 만하다는 생각이 들었다.

트라키아인들의 강인함이 서려 있는 곳, 작은 마을 카잔루크와 트로얀

오랜 역사를 간직한 웅장하고 아름다운 도시 벨리코투르노보를 뒤로하고 카잔루크 (Kazanlak)로 출발했다. 카잔루크 분지 서쪽에 있는 카잔루크는 트라키아 왕들의 고향이자, 매력적인 관광지다. 가장 규모가 크고 보존이 잘 된 트라키아의 무덤이 발견돼 장미 박물관과 함께 유네스코 세계문화유산에 등재됐다. 이름처럼 장미향이 반겨 맞아주리라 기대하고 한 시간 삼십 분을 운전해 도착했다. 하지만 아쉽게도 장미 축제는 끝났고, 장미의 계절도 지났단다. 허탈한 마음이 들었지만 대신 1984년 세워진 장미 박물관에 들러 아쉬움을 달랬다.

불가리아는 전 세계에서 고급 장미오일을 가장 많이 수출하는 나라 중 하나다. 5

불가리아는 전 세계에서 고급 장미오일을 가장 많이 수출하는 나라 중 하나다.

카잔루크 고분.

월의 장미축제 때는 전 세계 관광객이 몰려들고, 계곡 전체에 장미 향기가 진동한다고 한다.

점심을 가볍게 먹고, 카잔루크 고분을 보러 갔다. 기원전 4~3세기에 조성된 카잔루크 고분은 전형적인 트라키아 장례식 건축물인데, 직접 들어가 볼 수는 없다. 대신 그 옆에 같은 크기의 복제품이 세워져 있다.

이 무덤은 재료와 벽화 모두 고고학적 가치가 높아 1979년 유네스코의 세계문화유산에 등재된, 불가리아에서 가장 중요한 트라키아 문화유산 중 하나다. 입구에서 기념으로 불가리아 장미향 제품을 구입했다. 붉은 장미로 뒤덮인 마을을 상상하고 들렀지만 기념품 몇 개 사고 트로얀(Troyan)으로 향했다.

카잔루크에서 트로얀은 두 시간 정도 거리이다. 트로얀은 해발 450m 높이의 중부 발칸 산맥 중심부에 위치해 있다. 이 지역은 기원전 11세기부터 10세기까지 고대 그리스 북방에 있는 트라키아 지방의 주민인 트라키아인의 정착지였다. 트로얀이라는 이름도 이 지역을 통과하는 로마 도로의 라틴 이름인 '비아

발칸 중앙 국립공원은 보호 지역으로 지정될 만큼 생물학적 다양성이 높다.

트라자나(Via Trajana)'에서 유래했다. 이 로마 도로의 연장선에서 20개 이상의 요새가 발견됐다.

보테브 봉우리엔 1,000개의 계단과 혁명 기념 추모비가 있다.

　카잔루크를 벗어나자 풍성한 자연 경관이 펼쳐지면서 오래된 숲이 눈앞에 나타났다. 발칸 중앙 국립공원이다. 카잔루크 이웃 마을들은 중앙 발칸 국립공원 일부인 스타라 플라나나 산맥의 보호구역에 있다. 그 길을 따라 트로얀 수도원으로 향한다. 숲길에서 만나는 식물과 동물들이 파노라마처럼 펼쳐지는데, 꼭 영화의 한 장면 같다. 멋진 풍경을 따라 오르자 큰 바위와 폭포가 우리를 반겨 맞아주는 느낌이 들었다.

　공원 내 최고봉은 보테브 봉우리(2376m)다. 혁명 기념 추모비도, 산 정상까지 뻗어 있는 1,000개 계단도 모두 인상적이었다.

　발칸 중앙 국립공원은 자연 생태 보호를 목표로 하는 유럽의 비정부 기구로부터 보호 지역으로 지정받았다. 그만큼 생물학적 다양성을 보존한 소중한 곳이다. 약 2,340종의 동식물이 그곳에 살고 있으며 멸종 위기에 처한 늑대와 야생 동물의 은신처이기도 하다.

　잠시 차를 세우고 산책을 했다. 가슴에 와 닿는 차가운 공기가 매우 쾌적했다.

불가리아
02

수도 소피아
숨은 그림 찾듯 유적 둘러보는 재미 '쏠쏠'

트로얀 수도원을 방문한 뒤 밤늦게 불가리아의 수도, 소피아에 도착했다. 불가리아 서부 비토샤산 아래 소피아 분지에 자리 잡은 소피아는 유럽에서 가장 오래된 도시 중 하나다. 도나우강으로 흘러드는 이스쿠르강의 두 지류가 시내를 흐르고, 도시 곳곳에 푸른 숲이 우거져 '녹색의 도시'로도 알려져 있다. 명성에 걸맞게 아침 공기가 상쾌하다. 전원의 향기가 지친 여행자의 심신을 일깨운다.

유네스코 세계문화유산으로 지정된 릴라 수도원은
불가리아 국가 정체성의 수호자로 여겨진다.

커튼을 걷자 창문 너머로 바쁜 걸음으로 출근하는 사람들이 보인다. 현대 도심의 일상적인 모습이지만, 도시 전체는 전통과 역사가 잘 보존돼 있어 중세도시 느낌이 난다. 도심 곳곳에 자리한 역사적 건물을 찾아보며 하루를 보낼 예정이다. 오전 내내 걸을 예정이라 가벼운 차림으로 호텔을 나섰다. 호텔

알렉산더 네브스키 대성당

정문에는 택시를 타고 내릴 때의 주의 사항을 안내하는 표지판이 있다. 요금 문제로 시비가 있을 경우 내리기 전 호텔 직원을 찾아달라는 내용이다.

소피아는 전략적 요충지여서 트라키아, 로마, 튀르크 등의 지배를 받으며 수천년 동안 발전을 거듭해 왔다. 그래서 역사적으로 귀중한 유적들이 도시 곳곳에 산재해 있다. 그리스와 로마, 비잔틴 시대의 유적을 감상하고 공산주의 시절의 불가리아를 엿볼 수 있는 곳을 만날 수 있으리란 기대를 품고 구도심으로 향했다.

먼저 마주한 것은 성 소피아 교회다. 유럽에서 가장 오래된 교회 중 하나로, 중세에는 교회로, 오스만 통치하에서는 모스크로 사용됐다. 기독교와 이슬람 세력이 격돌해 온 지난 역사가 짐작된다. 성 소피아 교회는 고딕양식의 교회와는 다르게 옥색과 황금색이 어우러진 둥근 지붕이다. 이슬람 문화의 영향이리라.

성 소피아 교회와 멀지 않은 거리에 인기 있는 관광지인 알렉산더 네브스키 대성당이 있다. 1912년에 지어졌으며 러시아 건축가 알렉산더 포만체프가 설계했다. 종탑 높

이는 53m로 모두 53개의 종이 있다. 한 번에 약 5,000명이 예배를 드릴 수 있는 큰 성당이다. 소피아를 대표하는 네브스키 대성당을 관광엽서 사진처럼 카메라에 담고 교회 바로 건너편의 국립미술관으로 향했다.

몇 걸음 옮기자 소피아에서 가장 오래된 성 조지 로툰다 교회가 보인다. 콘스탄틴 대왕 통치 기간인 6세기에 지어진 것이다. 이 교회 근처 지하도에 성터가 남아 있다. 11세기에 지어진 성 페트카 지하 교회의 흔적이다. 이 지역을 따라 걸으면 16세기에 지어진 반야 바시 모스크도 볼 수 있다. 회교 사원에서 멀지 않은 곳에 박물관이 있는 회당이다.

녹색의 중세 도시, 소피아에서 인류의 문명을 만나다

특별히 지도를 들고 찾아다니지 않아도 기독교, 이슬람, 유대인들의 유명한 기념물을 모두 만날 수 있는 도시가 소피아다. 기독교문명과 이슬람문명이 충돌했던 발칸지역 특성이 도시 전체에 남아 있다. 교회 건물도 서유럽과는 다르게 이슬람 사원 양식과 교회 양식이 혼재해 있다.

붉은 색 교회와 흰 성당을 지나며 보니 시립 목욕탕, 시장, 교회 등 다른 역사 유적들이 보였다. 근처 신학교에는 국립역사박물관, 고고학 박물관이 있다. 도심 곳곳에 라이온 브리지, 이글 브리지, 러시아 기념물, 바실 레프스키 같은 기념비도 있다. 숨은 그림 찾기 하듯 도심을 누비고 다시 대통령 행정 건물을 거쳐 바로 맞은편 국립 고고학 박물관으로 향했다. 불가리아의 귀중한 보물들을 차근차근 만나보고 싶었다. 행정건물 앞에서는 불가리아 전통 복장을 한 군인들이 경비를 서고, 교대식을 갖는다. 그들

의 절도 있는 모습을 사진에 담고 서둘
로 박물관으로 걸음을 옮겼다.

과거 불가리아 왕궁이었던 국립 미
술관과 민족 박물관에 전시된 불가리
아 그림들이 눈길을 끈다. 근처 국립민
족사박물관, 자연사박물관도 둘러보
기 위해 걸음을 바삐 했다. 미술관과
박물관은 여유 있게, 천천히 둘러보면
재미도 있고 시간도 오래 걸린다. 시
간에 쫓겨 걸음을 바삐하며 다니자니
아쉬움이 남았다.

국립극장은 의심할 여지 없이 소피
아에서 가장 아름다운 건물에 속한다.
눈으로 흘깃보고 비토샤 대로로 들어
선다.

위_ 불가리아 전통 복장을 한 군인들의 교대식
아래_ 16세기에 지어진 반야 바시 모스크

도심 곳곳을 이리저리 헤매느라 다
리가 뻐근해 쉴참으로 카페를 찾았다. 꽤 번잡한 곳이라 관광객과 시민이 뒤섞인 서
울 명동 거리 같은 느낌이다. 보행자 거리로 잘 조성돼 있어 산책도 하고 휴식도 취
할 수 있도록 쾌적하게 가꿔져 있다. 생동감 넘치는 젊은이들을 만날 수 있는 곳이다.
잠시 숨을 돌리고 벼룩시장에서 골동품과 미술품을 구경하고 유명 브랜드 매장

릴라 수도원의 불가리아 종교화

을 지나 노천카페에서 식사를 대신했다.

잠시 쉬었다가 호텔에 주차한 차를 찾아 릴라 수도원으로 향한다. 불가리아에서 가장 크고 중요한 전통 수도원을 방문하기 위해 릴라 산맥으로 향한다. 어느덧 울창한 소나무 숲 속이다. 혹시 산중에 길을 잘못 든 것은 아닌지 걱정은 됐지만 선택의 여지가 없는 터라 계속 차를 몰았다.

1976년 유네스코 세계문화유산으로 지정된 릴라 수도원은 중세부터 불가리아 국가의 정체성을 지켜주는 수호자로 여겨졌다. 푸르른 초록의 숲과 부드러운 안개 속으로 수도원의 돌기둥이 보이기 시작했다. 갈색빛이 짙게 도는 나무와 줄무늬 띠를 두른 수도원이 어우려져 신성한 분위기를 자아낸다.

찬찬히 릴라 수도원을 둘러보았다. 박물관에 전시돼 있는 불가리아의 종교화와 목조각들은 시간여행을 하는 기분을 느끼게 했다. 수도원 설립자 성 이반 릴스키가 모셔진 동굴을 둘러보면서 불가리아인들이 왜 그를 신성시하는지 조금이나마 이해할 수 있었다.

Macedonia

마케도니아

코소보
Serbia

세르비아
Serbia

불가리아
Bulgaria

소피아
Sophia

스코페
Skopje

릴라
Rila

마케도니아
Macedonia

티라나
Tirana

오흐리드
Ohrid

그리스
Greece

알바니아
Albania

마케도니아
01

수도 스코페
마더 테레사, 알렉산더 대왕…
수많은 동상에 시선 고정

불가리아 수도 소피아를 떠나 마케도니아로 향한다. 고속도로에 차량이 많지 않아 예상보다 일찍 국경선에 도착했다. 소피아를 떠난 지 채 두 시간이 안 되서였다. 여권을 확인받고 마케도니아로 들어선다. 국경에서 한 시간 삼십 분쯤 더 달려 마케도니아 공화국 수도 스코페에 도착했다. 발칸반도 중심부에 자리 잡은 2000년 전통의 유적 도시 스코페는 인구 약 100만 명으로 마케도니아의 정치, 경제, 교육 및 문화 중심지다.

바르다르강 연안 스코페 분지에 위치한 스코페는 고대 로마 시대에 건설돼 세르비아, 오스만제국, 불가리아 등의 지배를 받아오다 1944년 유고슬라비아 연방의 구성국

바르다르강이 내려다보이는
스코페성. 기원전 4000년부터
이곳에 사람이 거주했다고 한다.

인 마케도니아 사회주의 공화국이 만들어지면서 수도가 됐다.

　이름도 익숙지 않은 낯선 도시, 스코페에 도착하니 현대 도시라기보다는 웅장한 고대 도시를 보는 듯하다. 고대 도시로의 여행은 잠시 미루고 먼저 테레사 수녀 기념관을 방문하기로 했다. 어느 방향인지 도움을 받기 위해 입마개를 한 반려견과 함께 산책 중인 사람에게 물으니 친절하게 길을 가르쳐 준다. 안내한 방향으로 조금 걸으니 테레사 수녀 기념관이 나타난다. 기념관은 2009년 1월 30일 개관해 테레사 수녀에게 헌정됐다. 테레사 수녀는 1910년 8월 27일 스코페에서 태어나 다음날 아

녜저 곤저 보야지우라는 본명으로 '예수 성심 성당'에서 세례를 받았다. 그녀가 세례를 받은 예수 성심 성당은 사라지고, 그 자리에 마케도니아 정부가 기념관을 세웠다.

기념관 앞에서 제복을 입은 사람이 기도하듯 고개를 숙여 묵념한다. 거리 벤치에는 술에 취한 듯 노인이 잠을 자고 있다. 두 사람이 한꺼번에 눈에 들어온다. 테레사 수녀의 사랑이 필요한 걸까? 안타까운 마음을 뒤로하고 길을 따라 걸으니 큰 서점이 보인다. 한국에서 구하기 쉽지 않은 스코페 관광안내 책자를 사들고 다시 길을 나선다.

유서 깊은 스코페, 다양한 문화와 건축물이 혼합돼 있어

스코페는 바르다르강을 따라 구시가지와 신시가지가 나뉜다. 구시가지 '올드 바자

르'로 가는 길에는 갖가지 동상들이 세워진 대리석 광장이 나타난다.

동상들 사이로 많은 개들이 이리저리 돌아다닌다. 커다란 개들이 햇볕 드는 광장 대리석에서 졸고 있거나 관광객을 따라다니며 어슬렁거린다. 훈련받은 듯 이방인들을 보고 짖지 않고 조용히 살아가는 모습이 독특했다. 가이드에게 물어보니 주인이 있는 반려견은 주인이 관리하고 그렇지 않은 개들은 시청에서 관리한다고 한다. 거리 개들의 귀에는 노란색 표지가 달려 있다. 예방접종 및 관리 상태를 알

려주는 표지다.

광장을 지나고 강을 건너 다시 좁은 거리로 들어섰다. 올드 바자르다. 국가에서 랜드
마크로 보호 중인 이 시장은 1555년과 1963년 두 지진과 1, 2차 세계 대전으로 큰 손상
을 입었는데 이후 여러 차례 재건했다. 오늘날에는 마케도니아의 대표적인 문화기념
물로 자리 잡았다. 이곳의 건물들은 오스만 건축 양식이 대부분이지만 비잔틴 양식의
건축물과 최근 건축물 등 다양하다. 중동 전역에서 흔히 볼 수 있는 전통적인 공중목욕
탕 '하맘'은 한때 여행자를 수용하거나 고위 인사를 위한 건물이었지만 현재에는 박물
관과 갤러리로 사용된다. 미술 전시회, 콘서트 및 기타 문화 행사가 이곳에서 열린다.

올드 바자르를 지날 무렵 수제 맥줏집이 눈에 띄었다. 사람들로 붐비는 맥줏집으로
들어가 특별한 맥주 한 잔을 추천해 달라고 하니 여러 샘플을 내어주며 맛을 보라 권
한다. 짙은 맛의 마케도니아 맥주로 잠시 목을 달래고 역사적인 요새로 향했다. 바르
다르강이 내려다보이는 도시의 가장 높은 곳에 스코페성이 있다. 성 위로 마케도니아

국기가 휘날린다. 요새의 역사는 신석기시대로 거슬러 올라가야 한다. 기원전 4000년
부터 이곳에 사람들이 살면서 기원후 6세기까지 요새를 건설했다고 한다. 오랜 세월
을 지나며 허물어지고 다시 세워지기를 반복한 요새는 스코페를 한눈에 내려다 볼 수
있는 대표적인 관광지가 됐다.

　스코페는 오랜 역사만큼이나 다양한 건축물과 문화가 혼합돼 있다. 20세기 초 터키
의 영향력에서 해방된 후 유럽 신고전주의 건축물이 지어졌다. 그러나 1963년 대지진
으로 구시가지가 파괴된 후 일본 건축가 단게 겐조(丹下健三)의 재설계로 미래 지향적

인 스타일로 변화하기 시작했다. 오래된 기차역의 시계는 지금까지도 지진이 일어난 다섯 시 십칠 분에 멈춰 있다.

스코페성에서 도시의 또 다른 모습들을 시야에 담았다. 저 멀리 밀레니엄 크로스가 보인다. 보드노산 꼭대기의 66m 높이 십자가도 눈에 띈다. 2002년에 시작돼 마케도니아 정교회, 마케도니아 정부 및 전 세계 마케도니아인들의 기부금으로 세워진 십자가는 밤에도 도시를 빛낸다.

비록 한나절의 짧은 여행이었지만 관광 안내를 들으며 다니니 아쉬운 대로 도시 전체를 둘러 볼 수 있었다. 곳곳에 서 있는 조각상, 사람들과 함께 살아가는 도시의 개들이 인상적이었다.

이제 수도 스코페를 떠나 발칸 제국의 진주라 불리는 유네스코 보호 도시 '오흐리드(Ohrid)'로 발길을 옮긴다.

관광도시 오흐리드
언덕 위 고대극장
바람의 노래, 잠든 기억 깨우다

    잠결 너머로 '똑똑' 방문을 두드리는 소리가 들린다. 허둥지둥 일어나 문을 열어보니 룸서비스다. 이미 솟아오른 태양이 방안 가득 햇살을 드리우고 있다. 발코니로 나오니 붉은 벽돌집 사이로 아름다운 호수가 펼쳐져 보인다. 아침햇살에 보석처럼 반짝이는 호수. 발칸반도 내륙에 자리한 발칸의 진주, 오흐리드 호수다. 지난밤, 마케도니아 수도 스코페를 떠나 남쪽으로 두 시간 삼십 분을 달려 오흐리드 호숫가 작은 도시 오흐리드에 도착했다. 도시 보호를 위해 차량의 시내 통행이 금지돼 있어 도시 외곽을 돌아 호텔에 들어온 후, 어둠에 물든 호수를 뒤로하고 피곤에 지쳐 잠들었다.

룸서비스 덕에 아침 일찍 일어나 창밖을 보니, 붉은 담장의 아담한 집들과 아름다운 호수가 한 폭의 그림처럼 펼쳐진다. 아침 햇살을 받아 반짝이는 호수의 상쾌함이 지난 여정의 피곤함을 한순간에 날려 준다. 발코니에 앉아 잘 구운 빵과 향이 풍부한 커피로 아침식사를 하고 서둘러 호수로 향한다. 호텔을 나서 언덕길을 따라 붉은

오흐리드 호수 전경

지붕 사이를 지나니 눈앞에 탁 트인 오흐리드 호수가 펼쳐진다. 넓이가 348㎢에 달하는데, 바다로 착각할 만큼 크다. 특히 호숫가 바닥에서 샘물이 솟고, 그 영향으로 물리 맑고 투명하다.

유럽에서 가장 오래된 거주지 중 하나인 오흐리드는 마케도니아의 대표적인 관광도시로 아름다운 휴양지일 뿐만 아니라 고대 유적지의 집합체이다. 발칸반도 내륙에 오흐리드 호수가 형성된 것은 300만년이 넘었다고 한다. 사람들이 거주한 기록은 기원전 353년으로 거슬러 올라간다. 그리스 문서에서 '빛의 도시'(Lychnidos)로 기록돼 있는데 879년 후반에 '언덕 위의 마을'을 의미하는 마케도니아 구어에서 유래한 오흐리드로 이름이 바뀌었다.

지금의 도시 형태는 대부분 7세기 이후 형성됐다. 9세기에는 많은 수도원과 교회가 세워져 발칸반도의 슬라브계 민족 문화의 중심지 역할을 했다. 지금도 중세시대 지어

진 365개의 교회와 수도원이 남아 있다. 10~11세기에는 마케도니아 수도였으나 이슬람 지배를 받으면서 이슬람 문화가 덧씌워졌다.

도시는 고대 그리스와 기독교문화, 이슬람문화가 섞이면서 독특한 문화적 유산을 품고 있다. 오랜 역사에 걸맞게 도시 전체가 문화재이자 풍부한 중세시대 박물관이다. 800개 이상의 비잔틴 상징들이 있으며 미술사적으로도 매우 가치가 높다. 1980년 도시 전체가 유네스코 세계유산에 등록됐다.

아침시간이라 호수 주위는 붐비지 않고 조용하다. 접혀 있는 차양 아래 놓인 테이블이 새벽 이슬로 젖어 있다. 호수를 따라 걸음을 옮기니 아름다운 교회가 눈앞에 있다. 성 요한 교회다. 마케도니아 전역에서 가장 장엄한 교회로 호수 절벽 위에 우뚝 솟아 있다. 좁은 길을 따라 오르면 비잔틴 건축 양식과 아르메니아 건축 양식을 결합한 붉은 색의 교회가 호수를 배경으로 멋진 풍경을 선사한다. 요한복음의 저자 성 요한을 기리기 위해 세워진 이 교회는 오스만투르크 제국 이전인 13세기에 지어졌다. 비잔틴 양식의 건물에 아르메니아 교회 구조의 특징이 평온한 호수와 어우러져 신성함을 더

호수 절벽 위에 솟은
성 요한 교회

한다. 14세기 프레스코 성화는 물론 20세기에 추가
된 나무 성화 등 다양한 성화들로 꾸며져 있다. 사도
들의 성찬식을 표현한 성화와 몇몇 성인들의 초상화
가 특히 인상적이다.

성 요한 교회를 나서 성 소피아 교회로 향한다. 대
표적인 중세 건축물인 성 소피아 교회는 11세기에 세
워졌으며 터키 지배 시절에는 이슬람 사원으로 쓰이
기도 했다. 이슬람 사원으로 사용될 당시 내부의 프
레스코화를 석고로 덧칠해 가렸다. 그 덕분에 중세 비잔틴 양식의 프레스코가 잘 보
존됐다고 한다. 2차 대전 이후 복원된 벽화와 프레스코화는 마케도니아 중세 회화의
예술적 가치를 잘 보여주고 있다. 더구나 오흐리드는 콘스탄티노플 대주교의 직접적
인 영향력 아래 있었기 때문에 비잔틴 시대의 중요한 작품들이 남아 있을 수 있었다
고 한다.

기원전 200년에 지어진 헬레니즘 양식의 공연장에서

교회를 지나 언덕을 따라 오르면 구시가지의 중심에 위치한 오흐리드 고대 극장을 만
날 수 있다. 두 개의 언덕이 바람으로부터 극장의 음향을 보호하는 완벽한 위치에 있어
지금도 공연이 가능할 만큼 잘 보존돼 있다. 고대 극장은 기원전 200년에 지어진 헬레
니즘 건축물이다. 현재는 맨 아랫부분만 남아 있어서 원래의 극장이 몇 명이나 수용할
수 있었을지 가늠하기 어렵다. 로마시대 극장은 검투장이나 기독교인 처형의 장소로 사

용되면서 주민들이 외면했다. 그 때문에 사라지지 않고 남아 있게 됐다고 한다. 매년 여름축제 기간 중 이곳에서 고대 비극과 희극 공연이 열린다.

멀리 '물 위의 박물관(Museum on Water)'이 보인다. 고대시대의 수상가옥을 복원해 놓은 고고학 단지이다. 유적들이 발굴되면서 '뼈의 만'이라고 불리던 이 지역은 기원전 1200년에서 700년 사이에 조성됐다. 진흙과 짚단으로 지은 주거지 일부를 복원해 당시 생활방식을 엿볼 수 있도록 했다. 수상 주거지가 내려다보이는 길은 고대 로마 군대의 요새로 이어져 있다. 원래 유적지 위에 로마 요새가 세워졌으나 유적을 발굴하면서 두 유적을 분리해 복원했다고 한다. 요새의 느낌보다는 호수가 한눈에 내려다보이는 전망대 같은 느낌이다.

구시가지를 따라 언덕을 오르고 내려오면서 고대에서 중세, 다시 현대로 이어지는 오흐리드의 역사를 온몸으로 느낄 수 있다. 아름다운 호수를 배경으로 오랜 시간 지켜온 다양한 역사적 건축물들은 세계 문화유산 도시의 정수를 느끼게 해준다. 다시 호수에 다다르자 중세의 역사를 가로질러 현대의 휴양도시로 내려온 듯 관광객들로 북적인다.

Albania

알바니아

몬테네그로
Montenegro

코소보
Serbia

프리슈티나
Prishtina

마케도니아
Macedonia

크루야
Kruja

티라나
Tirana

오흐리드
Ohrid

알바니아
Albania

베라트
Berat

그리스
Greece

수도 티라나
유럽에서 이슬람을 만나다

역사와 문화의 도시 마케도니아의 오흐리드는 휴양과 관광의 도시다. 햇살을 받아 반짝이는 호수와 아름다운 호숫가는 너무나 아름다웠다. 여름의 오흐리드를 꼭 다시 찾아오겠다고 다짐하며 호숫가에 앉아 하염없이 잔잔한 물결을 바라보는 것만으로도 마음이 치유되는 것 같다.

커피 한 잔을 진하게 마시고 아름다운 풍광으로 아쉬움을 달랜 후 오흐리드를 떠나 호수 건너편 알바니아로 향한다. 호숫가를 따라 한 시간 정도 운전하자 알바니아 국경이 나오고, 다시 또 한 시간 남짓 운전하면 알바니아의 수도 티라나(Tirana)에 닿는다. 알바니아는 동쪽으로 세르비아, 마케도니아, 그리스와 국경을 맞대고, 서쪽으로는 이탈리아와 마주한 아드리아해가 있다. 티라나는 알바니아 중서부에 위치한 내륙 도시로, 아드리아해에서 동쪽으로 27㎞ 떨어져 있다. 알바니아에서 가장 큰 도시이자 정치, 경제, 문화의 중심지로, 어제 머물렀던 오흐리드와는 비교 불가능할 정도로 신생 도시다.

기원전부터 로마제국의 일부였으나 이후 동로마 제국의 지배를 받았던 알바니아는 16세기 이후 오스만제국의 지배를 받으면서 이슬람교로 개종했다. 티라나도 16세기까지는 작은 마을에 지나지 않았지만, 1614년 당시 지배자였던 술만이 이슬람 사원, 하맘 등을 지으면서 오늘날에 이르고 있다. 1차 대전 이후 이탈리아의 간섭이 심해져 이탈리아의 영향을 많이 받았고, 1939년에는 이탈리아 파시스트가 알바니아를 병합해버렸다. 이런 이유로 20세기 초기 유명 이탈리아 건축가들이 중심 도로와 중앙광장 등을 만들었다.

　2차 대전 후 알바니아에는 공산정권이 들어섰고, 1985년까지 알바니아 노동당을 중심으로 스탈린 노선을 따랐다. 1989년 동유럽 국가들의 민주화 물결로 1992년 민주정부가 수립됐으며, 1998년에는 공산주의 헌법체계를 파기하고 신헌법을 마련하면서 현대 국가의 면모를 갖추게 됐다.

켜켜이 쌓인 알바니아의 역사를 한눈에 담다

티라나 시내에 들어서자 차량이 길게 늘어서 있다. 공사 현장이 많이 눈에 띈다. 호텔이 중앙광장에서 멀지 않은 곳에 있어서 체크인을 하고, 시내 구경에 곧바로 나섰다. 쉬지 않고 운전했더니 피곤함이 몰려온다. 운전 시간은 채 세 시간이 안 되지만 국경을 넘어 또 다른 나라로 옮겨온다는 게 심리적 부담이 큰 모양이다. 점심을 간단하게 먹으려고 젊은이들이 모이는 쇼핑몰 근처로 향했다. 공기가 쾌적하지 않고 공사 분

알바니아의 국민 영웅 스칸데르베그의 동상이 중앙광장에 세워져 있다.

진이 날려 내키지는 않았지만, 그래도 1층 카페에 앉아 점심을 먹으며 지나가는 사람들을 둘러보았다.

여행지에서 유적지 못지않게 재미있는 볼거리는 사람 구경이다. 사람들이 점심 식사를 하러 나와서 그런지 거리에 인파가 많다. 하지만 그들의 발걸음과 표정에서는 출근길과 다른, 밝은 미소가 번져 있다. 여유롭게 차 한 잔을 즐기며 티라나에서의 일정을 시작한다.

이곳에서는 다른 도시와 달리 유난히 검은 색 중형차량이 많이 보인다. 문득 소설의 범죄 배경이 티라나였던 게 떠올라 조금

티라나에서 가장 현대적인 건축물인 더 플라자 호텔

긴장이 됐다. 차량이 북적이는 스칸데르베그 광장 주변을 따라 조심스레 걷기 시작한다. 티라나 중심에 위치한 중앙 광장은 알바니아의 국민 영웅 스칸데르베그의 이름을 따서 지었다. 총 면적은 4만㎡로 광장 중심에는 스칸데르베그 동상이 세워져 있다. 그는 독립운동을 벌여 오스만제국으로부터 25년간 이 나라를 지켜냈다. 하지만 그가 사망한 1468년, 알바니아는 다시 오스만제국에 합병되었다. 그가 죽은 지 500년 되는 해인 1968년, 그의 동상이 세워졌다.

한편 이 광장에는 1988년 공산정권을 이끌었던 E. 호자의 기념비가 세워졌는데,

1991년 민주화 혁명 때 철거됐다. 광장 주변에 알바니아의 역사가 켜켜이 쌓여 있다. 광장 중심을 기점으로 걷다보면 오스만 건축 양식으로 지은 모스크도 보인다. 건물 색상이 알록달록 파스텔톤인데, 유럽에서 낯선 이슬람 풍경을 보는 게 색다른 맛을 더한다.

이밖에도 광장 주위에는 유명 호텔, 문화궁전, 국립 오페라극장, 국립 도서관, 국립 은행, 에템 베이 모스크, 시계탑, 국립역사박물관 등이 들어서 있다. 박물관으로 발걸음을 옮기다 눈에 띄는 외관의 큰 건물을 발견했다. 더 플라자 호텔이다. 티라나 시내에서 가장 높은 건물이라고 한다.

문득 티라나 시내를 한눈에 담고 싶어 호텔로 향했다. 호텔 앞에는 1817년까지 티라나를 다스린 카플란 파샤의 무덤이 있다. 8개의 고전적인 기둥과 아치를 연결한, 오스만제국의 건축양식으로 지어졌다. 가장 현대적인 건축물로 보이는 플라자 호텔이 그 뒤에 있다.

호텔 높은 층에서는 티라나 시내가 한눈에 보인다. 다른 어떤 도시의 뷰포인트보다도 멋진 장소로, 동서남북 사방으로 도시 전경이 펼쳐진다. 위에서 보니 광장을 중심으로 도로가 쭉 뻗어 있고 알록달록한 건물들이 파란 하늘과 어우러져 조화를 이룬다. 도시 너머의 푸른 산이 이들을 감싸며 안정감을 주고 있지만 시내 중심부는 여느 도시처럼 건물이 밀집해 있다. 도시를 조망한 다음, 호텔에서 내려와 젊은 에너지가 넘치는 시내로 다시 돌아왔다.

오스만제국 건축양식으로 지어진 티라나의 옛 지도자 카플란 파샤의 무덤

크루야와 베라트
천 개의 창문을 가진 도시, 나그네에 반갑게 인사

　티라나에서 하룻밤을 보내고 다음날 아침 다이티산 국립공원에 올랐다. 국립공원이라고 하지만 케이블카가 산 중턱까지 이어져 있어 티라나 전경을 쉽게 감상할 수 있다. 다이티산은 해발 1613m로 알바니아에서 세 번째로 높다. 티라나 시내에서 버스로 쉽게 이동할 수 있어 지역주민에게 인기 있는 휴양지다. 케이블카 승강장에서 왕복 8유로를 지불하면 이십 분 만에 중턱까지 올라갈 수 있다.

완만한 경사면을 따라 소나무, 참나무, 너도밤나무 숲 위로 케이블카가 이동한다. 뒤를 돌아보니 티라나 시내가 점점 멀어지면서 한눈에 들어온다. 산 정상 케이블카 승강장 주변에도 차들이 많이 주차돼 있다. 차량을 이용할 수도 있고, 하이킹 코스를 통해 걸어 올라와도 세 시간이면

충분하다고 한다. 여유로운 숲길 산책의 정취는 다음 기회로 미루기로 했다.

정상에서 바라보는 티라나는 도심에서 보는 것과는 다른 풍경을 선사한다. 케이블카 승강장 주변에는 다양한 야외활동 시설이 들어서 있다. 여럿이 승마를 즐기는 모습이 이채로웠다. 말타기뿐만 아니라 활쏘기 등 갖가지 액티비티 체험장이 마련돼 있다. 도시와 가깝긴 하지만 고지대라 날씨 변화가 심하고 안개가 자주 끼는 곳이다. 다행히 날씨가 맑아 잔디밭에 앉아 경치 구경을 하면서 승마하는 사람들을 구경했다. 하지만 바람이 차가워 자리를 정리하고 일어나 알바니아어로 '샘'을 뜻하는 도시 크루야(Kruja)로 향했다.

오스만에 완강히 저항한 마지막 보루, 크루야

크루야는 티라나에서 32㎞ 떨어진 알바니아 중북부에 위치한 도시로, 티라나에서

차량으로 한 시간 거리라 당일로 다녀올 수 있다.

크루야는 1190년 알바니아인이 세운 최초의 민족 국가 아르버르 공국(1190~1255년)의 수도다. 15세기 초반 오스만제국에 정복됐지만 1443년부터 1468년까지는 스칸데르베그 세력의 지배를 받기도 했다. 산비탈을 따라 도시가 형성돼 있고, 오래된 성채가 파노라마처럼 펼쳐져 있다. 먼저 복원된 크루야성을 방문하고 성 안에 위치한 스칸데르베그 박물관에서 가이드 투어를 하기로 했다.

크루야성을 돌아보며 만난
현지인들

　15세기 크루야는 오스만제국에 완강히 저항한 마지막 보루였다. 국가적 영웅인 스
칸데르베그가 이곳을 거점으로 25년간 저항활동을 벌였다. 스칸데르베그와 알바니아
의 영웅들의 역사가 박물관에 기록돼 있어, 관광객뿐만 아니라 알바니아 학생들도 역
사학습을 위해 단체로 방문하는 곳이다.
　성벽은 서기 5세기 무렵 건설됐다. 성벽 안쪽에 있는 박물관은 1981년에 설립됐다
고 한다. 성으로 올라가는 길은 굵은 자갈길이다. 거친 자갈이 오랜 세월 닳고 닳았지
만 그 속에 녹아 있는 역사만큼은 현재까지도 치열하게 이어져 오고 있다. 알바니아는
여전히 강대국 틈바구니에서 독립을 지키기 위해 악전고투를 하고 있다.
　성 안으로는 오래된 집들이 복원돼 있다. 붉은 지붕의 아담한 집들이 계곡을 따라 그
림처럼 들어서 있다. 성 위 레스토랑에서 풍경을 바라보니, 거칠었던 역사가 만들어낸
요새의 느낌보다 아름다운 자연을 배경으로 한 전원도시 같은 느낌이다.

성을 둘러보고 내려오는 길에 옛 모습
으로 복원된 시장, 바자르를 들렀다. 전
통 시장에는 수놓은 물건들, 카펫, 은장
신구들, 전통 옷, 골동품 같은 알바니아
공예품들이 진열돼 있다. 관광객에게는
더할 나위 없는 구경거리이다. 몇 가지
기념품을 사고 다음 목적지인 베라트로
향한다.

조화의 도시, 베라트

티라나에서 남쪽으로 120㎞ 떨어진 베라트는 역사가 2000년이 넘는 도시로, 문화,
건축, 예술, 종교적인 특징을 고루 갖춘 곳이다. 도시 자체가 동양과 서양, 문명과 자
연이 조화를 이루는 도시로 유네스코의 보호를 받고 있다. 도시 자체가 박물관 같은 느
낌이다. 알바니아를 다녀간 많은 사람들이 가장 아름다운 도시로 베라트를 꼽는다고
한다. 베라트는 알바니아에서 가장 오래된 도시로, 기원전 6~5세기에는 일리리아
인들의 정착지였다. 4세기 무렵 돌로 요새처럼 성을 쌓았고, 이 요새 안에 일리리아인
의 마을이 있었다. 점차 성이 확장됐는데, 특히 무자카즈 가문의 봉건 통치 기간 동안
더욱 발전했다고 한다. 오늘날에도 여전히 성벽 안에 주민들이 살고 있다.

성 아래 '망갈레미' 지역에는 가파른 언덕을 따라 촘촘하게 집들이 있다. 이 집들에
는 눈에 띄게 창문이 많고, 나무 조각들도 많다. 이 오래된 집들은 뒤로 산을 등지고

강을 향한 앞쪽으로 네모난 창을 냈다. 베라트를 떠다니는 창문의 도시 또는 1,000개의 창문을 가진 도시라고 불리는 건 그래서다.

오섬강 건너의 '고리카' 지역은 망갈레미의 집들과 마주하고 있다. 1780년에 지어진 아름다운 아치형 다리가 고리카와 망갈레미를 연결하고 있다.

호텔이 있는 망갈레미 지역에서 멋진 다리를 건너 고리카에 있는 수도원을 방문했다. 수도원으로 가는 구시가지는 돌로 된 벽과 길이 미로처럼 얽혀 있어 그 자체로 중세의 정취를 느끼게 한다. 1417년 오스만 사람들이 베라트를 점령했고, 베라트성의 교회들은 이슬람 회당으로 이용되면서 두 문명과 종교가 하나의 교회 안에서 조화를 이루었다. 기독교와 이슬람 문명을 상징하는 유명한 예술가들의 회화와 조각 작품이 수도원을 비롯해 도시 곳곳을 장식하고 있다. 이 도시가 '박물관 도시'로 선포된 이유다.

강 건너 저 멀리 눈 덮인 성스러운 산(Tomorr) 정상이 저무는 석양빛에 물들어 간다. 숙연한 마음으로 노을을 바라보다 다시 구시가지에서 내려와 유명한 베라트 전통 음식을 즐기며 하루를 보낸다.

티라나에서 남쪽으로 120㎞ 떨어진
베라트는 2000년이 넘는
역사를 품은 도시다

Kosovo
코소보

몬테네그로
Montenegro

세르비아
Serbia

프리슈티나
Prishtina

포드고리차
Podgorica

알바니아
Albania

코소보
Kosovo

프리즈렌
Priaren

마케도니아
Macedonia

티라나
Tirana

수도 프리슈티나
치유의 땅, 웃음꽃이 피다

알바니아 베라트의 아침은 소음과 함께 시작됐다. 역사와 전통을 간직한 도시와는 조금 안 어울리지만. 도시 전체가 관광객을 맞이하느라 한창 공사 중이다. 창밖으로 보이는 인부들의 바쁜 발걸음에서 발전하려는 도시의 활기가 느껴진다. 아무쪼록 도시 개발이, 오래되고 낡은 돌길을 걸으며 느꼈던 관광객의 행복을 해치지 않기를 바라며 아침식사를 마치고 코소보로 가기 위해 짐을 챙겼다. 친절한 호텔 직원이 밤새 불

코소보 전쟁으로 심각한 피해를 입었던 프리슈티나의
기념비적 건물들은 유엔(국제연합)의 관리를 받고 있다.

코소보 수도 프리슈티나 중심 광장엔 선 알바니아 민족 영웅의 동상

편하지 않았는지 물었고, 그들의 친절함에 감사 인사를 건네고 길을 나섰다. 베라트에서 코소보 수도 프리슈티나까지는 350㎞나 된다. 자동차로 다섯 시간 정도 달려야 한다. 창밖으로 펼쳐지는 아름다운 자연과 풍경을 벗 삼으니 장거리 운전도 견딜 만했다.

국경을 벗어나고도 한참을 달려 코소보 수도 프리슈티나에 도착했다. 코소보, 하면 내전을 떠올리는 사람이 많을 것이다. 내전 때문에 건물이 황폐해진 건 아닐까, 전장의 폐허가 남아 있지는 않을까 짐작했는데, 오산이었다. 프리슈티나의 첫인상은 서유럽의 작은 전원도시처럼 말끔하게 정비돼 있었다.

불과 20년 전만 해도 코소보 내전은 국제 뉴스의 일면을 장식했고, 전 세계에 상상할 수 없는 공포를 안겨줬다. 1999년 코소보 전쟁으로 심각한 피해를 입은 프리슈티나는 현재 재건 중으로 유엔(국제연합)의 관리를 받고 있다. 시내를 천천히 걷는데 어디서도 그 흔적을 찾아볼 수 없었다. 거리를 활보하는 젊은이들, 환한 얼굴로 유모차를 끌고 다니는 엄마들, 카페에서 오후를 즐기는 시민들. 과거의 고통을 안으로 삼키고 새롭게 삶을 가꿔가는 코소보 사람들의 노력이 엿보이는 듯했다.

이동 시간이 길어 관광에 앞서 식당에 먼저 들렀다. 거리의 식당 야외 테라스는 꽃으로 장식돼 있다. 사람들이 담소를 나누며 늦은 오후를 보내고 있다. 허기를 해결하고 거리로 나선다. 광장 중심에는 중세 알바니아의 민족 영웅 스칸데르베그의 동상이 서 있다. 코소보는 주민 대부분인 92%가 알바니아계로, 내전 당시 수많은 알바니아계 주민이 피해를 입었다. 그 외 5.3%가 세르비아인이고 나머지는 보스니아인, 루마니아인 등으로 구성돼 있다. 가장 최근 독립한 나라에 속하는 코소보는 세르비아, 몬테네그로, 알바니아, 마케도니아에 둘러싸여 있는, 인구 200만 명의 작은 나라다. 코소보의 심장 프리슈티나는 강대국 틈바구니에서 오랫동안 갈등과 전쟁을 겪느라 편할 날이 없었다.

중세 시대에 코소보는 세르비아 왕국의 수도로, 발칸반도 교역의 거점지 역할을 했다. 그러다 1389년 코소보 전투에서 세르비아 왕국이 오스만제국에 패해 이슬람의 통

치를 받았다. 이 전투로 오스만제국의 무라드 1세가 죽고, 이후 오스만제국도 물러나면서 세르비아 민족주의가 고양됐다. 프리슈티나를 포함한 코소보는 세르비아 민족의 역사에서 매우 상징적인 지역이다.

이후 17세기부터 18세기에 걸쳐, 종교적인 이유로 수많은 세르비아인이 오스트

리아로 이주했고, 이슬람교 계통의 알바니아인들은 코소보 지역으로 이주했다. 그 결과 알바니아계가 대다수를 차지하게 됐다. 알바니아계와 세르비아계의 갈등은 계속돼 왔는데, 2차 대전 이후 유고슬라비아연방에 포함된 이후에도 멈추지 않았다.

한편 티토(유고 연방의 전대통령) 사후 유고연방은 민족 간의 갈등이 고조되고 있었다. 1980년 밀로세비치가 유고연방의 대통령으로 취임하면서 상황이 더 심각해졌다. 마침내 1999년 코소보 전쟁이 터지고야 말았다. 코소보 전쟁은 유고연방으로부터의 독립을 요구하는 알바니아계의 코소보 주민과 세르비아 정부군 사이의 전쟁이다. 코소보 전쟁 당시 세르비아계는 대규모 소탕작전을 벌이며 알바니아계 주민들을 상대로 이른바 인종청소작전을 펼쳐 1만 명 이상의 사상자를 냈다.

코소보 전쟁 때 나토(NATO)는 세르비아에 대한 무력 사용을 결정하고 공중폭격 등을 통해 프리슈티나의 세르비아 군사시설 등을 공격했다. 서방측과 세르비아의 평화협정이 1999년 6월 체결되면서 코소보는 평화를 찾았고, 2008년 독립을 선언했다. 이후 주변국들과의 관계도 정상화되면서 안정을 찾고 있지만 여전히 주변국들과 정치적 마찰을 빚고 있고, 민족 간 갈등도 잔존해 있다.

아픔은 뒤로 하고, 기쁨과 즐거움으로 치유를

오랜 내전과 민족 간의 갈등으로 겪은 고통은 겉으로 보기에는 많이 치유된 것처럼 보인다. 프리슈티나의 거리에는 아이들의 밝은 웃음소리와 젊은이들의 생기가 넘쳐나고 있었다. 그래서 역사적인 아픔보다 거리의 활기가 더 인상적이었다.

여행자의 발걸음은 프리슈티나를 떠나 프리즈렌으로 향한다. 프리즈렌은 유네스

코 세계문화유산인 데카니 수도원과 코소보에서 가장 중요한 종교적 기념물이 남아 있다. 서둘러 체크인을 마치고 강둑을 따라 거닐었다. 길거리에서 누가 먼저랄 것 없이 많은 이들이 음악에 맞춰 춤을 추고 있다. 젊은이들이 모여 있는 모습이 흡사 야외클럽 같다. 흥이 넘치는 분위기에 저절로 어깨가 들썩여진다. 가방을 멘 학생들과 관광객이 어우러져 축제 같은 분위기를 연출한다. 코소보에서 가장 유서 깊은 도시 프리즈렌의 아름다운 경치를 배경으로 영화의 한 장면이 펼쳐진다.

11세기 비잔틴제국이 건설한 석교 주변에 나란히 늘어선 카페에는 흐르는 강물 소리를 배경음으로 시민들의 수다가 이어져 새들이 지저귀는 듯하다. 제법 빠르게 흐르는 강물 위로 조명등이 반사돼 떨어진다. 물방울과 함께 반짝이는 모습이 아름답다. 전쟁을 치르고도 옛 모습이 훼손되지 않은 채 역사책의 한 페이지를 담은 삽화 같다. 강을 가로지르는 석교 너머 동로마제국 요새 칼라야와 오스만제국 시절의 '시난 파샤 모스크'가 세르비아 정교회와 어우러져 있다. 프리즈렌 시민 대부분이 무슬림이지만 다른 종교를 배척하지 않고 더불어 살아가고 있다. 공식 언어가 알바니아어, 터키어, 보스니아어, 세르비아어 4개인 프리즈렌은 다양한 문화가 공존하는 도시로 기억에 남을 듯싶다.

Montenegro

몬테네그로

보스니아 헤르체고비나
Bosnia i Hercegovina

세르비아
Serbia

몬테네그로
Montenegro

두브로브니크
Dubrovnik

코토르
Kotor

포드고리차
Podgorica

코소보
Serbia

부드바
Budva

프리즈렌
Priaren

알바니아
Albania

포드고리차와 코토르

검은산 · 회색 성벽…
거친 아름다움에 빠지다

이른 아침, 하루의 일상을 준비하는 코소보의 프리즈렌은 조용하고 평화롭다. 치열했던 내전과 영토 분쟁의 아픈 역사를 흘려보내듯 강물은 조용히 흐르고, 따스한 햇살이 거리에 우뚝 솟아 있는 영웅들의 어깨를 살며시 감싼다. 2008년 세르비아로부터 독립한 코소보 공화국은 독립 10주년을 맞았다. 세계에서 가장 최근에 독립한 신생국가인 셈이다. 오랜 고난을 겪다 이제 스스로 설 수 있게 된 아이를 바라보듯 코소보의 희망찬 앞날을 기원하며 다음 목적지인 몬테네그로(Montenegro)로 출발한다.

코소보의 북서 방향에 위치한 몬테네그로는 유럽 남부 발칸 반도의 아드리아해 연안에 자리 잡은 공화국이다. 수도는 포드고리차이고, 2006년 6월 분리 독립한, 코소보 못지않게 나이 어린 신생국이다. '검은 산'이란 뜻의 이탈리아어에서 유래한 몬테네그로는 디아르알프스 산맥의 경사면에 가려 어두운 산지가 많은 데서 유래했다. 동쪽으로는 세르비아, 서쪽으로는 아드리아해와 크로아티아, 북쪽으로는 보스니아-헤르체코비나, 남쪽으로는 알바니아와 국경을 접하고 있다.

몬테네그로의 역사는 9세기 비잔티움 제국의 제후국 두클랴에서 시작된다. 이 제후국은 고대와 중세를 거쳐오면서 인근 지역과 통합하며 제타 공국으로 알려지게 되는데, 제타는 베네토어로 '몬테네그로'이다. 중세 이후 주권을 가진 공국이었던 몬테네그로는 1878년에 오스만제국에서 공식적으로 독립을 인정받는다. 이후 1차 대전 전승 국이었던 몬테네그로는 1918년 11월 세르비아에 통합됐고, 2차 대전 후인 1946년 유고슬라비아 사회주의 연방공화국을 구성하는 6개 공화국의 하나가 됐다.

1980년 유고연방의 중심이었던 대통령 티토가 사망하자 유고연방은 민족주의 운동 속에서 해체의 길을 걷는데, 1992년 1월 연방공화국 중 크로아티아, 마케도니아, 슬로베니아, 보스니아-헤르체코비나 4개 공화국이 독립한다. 하지만 몬테네그로는 세르비아와 연방을 결성, 신유고연방을 수립한다. 하지만 세르비아가 보스니아 등 주변국 내전에 개입하고, 인종청소와 코소보 사태 등으로 국제사회에서 고립되자 세르비아의 반대를 무릅쓰고 유엔 보호 아래 2006년 5월 독립 국민 투표에 따라 독립을 선포했다.

인구 구성은 몬테네그로인이 전 인구의 47.4%, 세르비아인이 31.6%이지만 사실상 같은 혈통, 같은 민족이라고 해도 과언이 아니다. 그 외 보스니아인, 알바니아인 등이 거주하고 있다. 공용어는 세르비아어였지만 2007년 새 헌법에 따라 몬테네그로어(세르비아어의 방언)가 공용어가 됐다. 인구 72.1%는 동방정교회를 믿으며 그 외는 무슬림과 가톨릭이다.

프리즈렌에서 세 시간을 남짓 달리니 몬테네그로 국경선에 닿는다. 코소보를 벗어나 알바니아를 거쳐 몬테네그로에 들어섰다. 두 번의 국경선을 지나 여권을 보여주고 새로운 국가와 마주하지만 사람들의 생김새도, 스쳐 지나가는 풍광도 크게 변함이 없다. 눈앞에 펼쳐진 발칸의 가장 큰 국립공원 스카다르호수는 1990년대 들어서면서 세르비아와 함께 경제제재를 당해 알바니아로 이어지는 밀거래 해상루트가 되기도 했다. 인간사가 어떻게 전개되든, 호숫가에는 수많은 새와 식물이 깃들어 살고, 햇살을 받은 보석 같은 강물은 유유히 흐르고 있었다.

그림 같은 바위산과 푸른 바다, 드넓은 호수가 맞아주는

한 시간을 더 달려 보크사이트 자원 개발을 위해 건설된 도시 '포드고리차'에 도착했다. 세르비아어로 '고리차 언덕(해발 107m) 아래'라는 뜻이다. 2차 대전 당시 70차례

몬테네그로 수도 포드고리차의 현대적 건물들 사이에 조성된 공원에서 산책을 즐긴다.

이상 폭격을 받아 크게 파괴됐다. 1946년 몬테네그로 공화국의 수도였고, 2006년부터는 독립국 몬테네그로의 수도가 됐다.

　커피 한 잔의 여유가 지친 몸을 달래주었다. 현대적인 건물들 사이에 공원 하나 있어서 산책을 즐겼다. 발칸반도의 여느 도시들과 달리 동화 속 같은 붉은 지붕, 아름다운 유적지가 없어서 낯선 느낌이다. 포드고리차에서의 짧은 일정을 뒤로하고 중세의 향취를 맛보고자 작지만 아름다운 코토르(Kotor)를 향해 길을 나섰다.

포드고리차에서 부드바까지는 한 시간, 코토르까지는 한 시간 삼십 분 정도 걸린다. 몬테네그로는 이름처럼 검은 산이라 불리는 그림 같은 바위산과 푸른 바다, 드넓은 호수가 관광객을 맞는다. 작은 항구도시 코토르는 세르비아산 광물을 수출하는 통로였다. 그래서 중세 막바지 상업자본으로 상인 길드가 형성되었고, 선원들을 위한 문화공간도 생겨났다.

코토르는 크로아티아 두브로브니크와 달리 성 요한 산이 병풍처럼 받쳐주고 있어 좀 더 남성적 분위기다. 견고한 회색 성벽 안으로 르네상스, 로마네스크, 바로크 등 다양한 시대의 건축물이 있다. 사각형으로 교차한 건물을 따라 좁은 거리를 걷다보면 로마 기독교 유물로 유네스코 세계자연문화유산에 등재된, 세인트 트리 폰 성당을 만난다. 12세기 성 아나 교회, 13세기 세인트 루크 교회, 세인트 메리 교회, 치유의 어머니 교회, 17세기의 왕자 궁전, 19세기 나폴레옹 극장 등 코토르의 풍요로운 보물을 만날 수 있다. 1979년 4월 15일 대지진으로 코토르 구시가지의 절반이 파괴됐지만 여전히 아름다운 모습을 간직하고 있다.

코토르에서 남쪽으로 23㎞에 위치한 부드바(Budva)는 2500년이 넘는 역사를 간직하고 있다. 중세 때, 400여 년 베네치아 공국의 지배를 받았고, 2차 대전 중이던 1941년 이탈리아 왕국에 편입되었다가 1944년 몬테네그로 공화국에 편입되었다. 부드바역시 코토르처럼 1979년 지진으로 도시 대부분이 파괴됐다. 그럼에도 해안을 따라 휴양지 분위기를 만끽할 수 있다. 긴 여정을 끝내고 부드바의 아름다운 리조트에서 하루를 마무리한다.

작지만 자연의 아름다움이 넘쳐나는 코토르에선 중세의 향취를 느낄 수 있다.

Croatia
크로아티아

슬로베니아
Slovenia

헝가리
Hungary

자그레브
Zagreb

크로아티아
Croatia

리예카
Rijeka

플리트비체
Plitvice

보스니아 헤르체고비나
Bosna i Hercegovina

풀라
Pula

자다르
Zadar

쉬베닉
Šibenik

프리모슈텐
Primo šten

스플리트
Split

트로기르
Trogir

두브로브니크
Dubrovnik

두브로브니크

아드리아해의 진주,
여기가 바로 지상 천국

이른 아침, 몬테네그로 부드바 구시가지로 산책에 나섰다. 바위가 많은 반도에 위치한 부드바는 오랜 역사만큼이나 아름다운 건축물로 유명하다. 4세기부터 고대 그리스 시대 아드리아해 식민 도시로 건설되기 시작해, 고대 로마 시대에 도시가 완성됐다. 15세기부터 18세기까지는 베네치아 공화국의 지배를 받으면서 많은 건축물이 세워졌다. 도시 남단에는 중세 시대부터 재건돼 19세기 오스트리아–헝가리 제국 시대에 완성된 요새가 남아 있다. 요새 북쪽으로는 대규모 광장이 있는데 840년 건립된 성모 마리아 교회, 17세기에 세워진 성 이반 교회, 1804년 완성된 성 삼위일체 교회 등을 만날 수 있다.

구시가지를 벗어나니 호화스러운 리조트 단지가 눈에 띈다. 러시아 자본이 유입되면서 많은 건물이 현대화되고 새로운 랜드마크로 건설됐다. 바다 한가운데 떠 있는 리조트가 가장 눈에 띈다. 이곳은 15세기 요새 목적으로 지어진 성이었으나 장기 임대를 통해 리조트로 변화했다. 역사적 유산이 훼손되지 않을까, 아쉬운 마음이 든다. 좁은 거리와 광장을 따라 역사 속 한 장면에 있는 느낌이 들었는데 리조트를 마주하니, 마치 타임머신을 타고 중세에서 현대로 건너뛴 기분이 든다.

부둣가를 따라 걷다가 구시가지 골목 구석에 있는 카페에 들어갔다. 흰 건물들과 붉은 지붕 위로 부서지는 햇살이 에메랄드빛 바다와 어우러져 눈부신 아름다움을 선물한다. 식사를 가볍게 하고 오전의 따사로움을 즐기다가 몬테네그로를 떠나 크로아티아로 향한다.

지중해의 중심에 자리잡은 진주 같은 도시

푸른 바다를 눈에 담으며 해안가를 따라 달려 '아드리아해의 진주'라는 두브로브니크에 도착했다. 도시에 가까워지자 대형 관광버스들이 눈에 들어온다. 두브로브니크는 아드리아해에 접한 가장 인기 있는 관광지 중 하나다. 몬테네그로의 부드바와 마찬가지로 두브로브니크 역시 베네치아 공화국의 주요 거점이었으며 13세기부터 지중해의 중심도시였다. 이곳의 성벽은 13세기에 세워져 오랜 세월 도시를 보호해왔는데, 1979년부터 유네스코 세계유산 문화유산으로 지정됐다.

1557년 지진으로 크게 훼손됐지만 다행히 고딕, 르네상스, 바로크 양식의 교회, 수

도원, 궁전 등은 성벽 안에 잘 보존돼 있다. 유고슬라비아 내전 당시에는 유럽의 지성들이 성벽 위에서 인간 방어벽을 만들며 폭격을 지지한 것으로도 유명하다. 이때의 노력으로 폐허의 위기는 면했지만 파편과 총탄 자국이 곳곳에 남아 있다. 다행히 유네스코와 국제 사회의 지원으로 복원이 이뤄져 '지상 낙원'이라는 표현에 걸맞은 아름다운 도시가 두터운 성곽 안에 잘 보존되었다.

유명한 극작가 조지 버나드 쇼는 "지구에서 천국을 보고 싶으면 두브로브니크로 오라"는 말을 남겼을 만큼 아름다운 곳이라 이곳 구시가지에는 관광객이 넘쳐난다. 문화와 역사가 생동감 있게 어우러진 박물관 도시에 과거와 현재가 완벽하게 교차해 있고, 이 교차점에서 일상을 살아가는 시민들과 전 세계 관광객의 발걸음이 어우러진다.

구시가지에서 사람들을 따라 거리를 누비다, 널어놓은 빨래가 나부끼는 작은 골목을 만난다. 그 아래 레스토랑에 자리를 잡았다. 오가는 사람들을 구경하며 늦은 점심을 즐겼다. 발그스레 햇살에 익은 볼 위로 미소가 가득한 사람들의 손에 색색의 아이스크림이 들려 있다. 대리석의 도시는 뜨거운  태양의 열기로 가득하지만, 바다에서 밀려오는 시원한 바람이 머리를 맑게 해준다.

식사를 마친 후, 커다란 아이스크림을 들고 성곽을 걷는다. 도시를 둘러싼, 유서 깊은 성벽을 따라 걷는 이 산책로는 멋진 전망을 제공한다. 길이 2㎞, 높이 25m, 너비 3m의 성벽 위를 걸으니 아드리아해를 품은 도시의 절경이 가슴 가득 밀려온다. 성곽 위에서 도시를 내려다보고 다시 아름다운 건축물이 늘어선 스타라둔 거리를 따라 해안가로 나섰다.

해안가에는 화려하고 멋진 요트들이 즐비하게 늘어서 있다. 16세기 베네치아 제국의 권력이 쇠퇴하자, 두브로브니크 공화국은 해상 무역을 기반으로 황금시대를 맞이했다고 한다. 이때 이곳이 세계적으로 유명해졌고 유럽의 귀족과 부호들이 몰려들었다고 한다. 지금은 화물선보다 아름다운 요트들이 햇살을 받아 아름다운 자태를 뽐내고 있다.

깨끗한 바다와 붉은 지붕이 어우러진 매력, 항구도시 스플리트

아쉬움을 남기고 스플리트로 향한다. 스플리트 역시 크로아티아 달마티아주에 있는 항구 도시다. 수도 자그레브 다음으로 큰 도시로, 기원전 그리스 거주지로 건설됐다. 그 후 로마 황제 디오클레티아누스가 자리에서 물러난 후 노년을 보내기 위해 궁전을 지으면서 본격적으로 발전했다. 7세기에는 슬라브족이 들어와 궁전에 정착했고, 시대 변화에 따라 비잔틴, 고딕 건축 양식 등이 더해지면서 화려한 모습으로 바뀌었다. 스플리트는 제1차 세계대전 후 유고슬라비아 왕국에서 가장 중요한 항구도시로 개발돼 근대적인 항만시설이 갖추어졌다. 다행히 제2차 세계대전 폭격의 피해를 비켜가 귀중한 유적들이 잘 보존돼 있다. 기후가 온화하고 디나르알프스 산맥과 아드리아해의 경치가 아름다워 휴양지로 두브로브니크 못지않게 유명하다.

북문을 통해 들어오면 성 도미니우스 성당이 눈에 들어온다. 13세기에 짓기 시작해 총 300년에 걸쳐 완성됐다고 한다. 종탑을 오르면 스플리트의 깨끗한 바다와 붉은 지붕이 어우러져 만들어낸 멋진 장관이 감탄을 자아낸다. 디오클레티아누스 황제가 지은 옛 궁전은 자연이 주는 아름다움과 인간이 만든 아름다움이 어우러져 놀라운 광경을 선사한다. 역사적 문화 공간에서 펼쳐진 시장은 스플리트의 일상생활을 그대로 느낄 수 있었다. 지역 주민들이 물건값을 흥정하는 모습을 지켜보다 신선한 과일을 챙겨 들었다. 도시의 일부인 시장의 일상생활 흔적에는 독특함이 넘쳐난다. 다양한 역사의 흔적 역시 고스란히 담고 있는 돌담길 위에는 조용한 역사의 속삭임이 들리고 그 길 따라 젊음의 활기찬 웃음소리와 지중해의 매력이 조화를 이룬다.

트로기르와 프리모슈텐, 쉬베닉

바다의 노래를 들으며 위안을 얻다

크로아티아 휴양도시 스플리트를 떠나 아드리아해의 푸른 햇살을 받으며 삼십여 분
을 달려 트로기르에 도착했다. 해가 기울어지면서 짙어지는 푸르름과 보랏빛이 어우
러진 하늘이 트로기르의 고풍스러운 도시와 너무나도 아름다운 조화를 이룬다. 도시
앞에 차를 세우고 한참을 바라보다 조심스럽게 고대의 도시 안으로 들어선다.

트로기르 대성당 앞에서 열린 야외음악회

트로기르의 거리들은 헬레니즘 시대부터 조성됐다. 정착촌은 잘 정돈돼 있었다. 통치자들이 세운 공공건물과 주거용 건물이 들어서면서 요새처럼 꾸며져 있다. 노을 지는 하늘을 바라보며 서둘러 호텔로 향했다. 체크인을 마치고 로마와 고딕 양식으로 건축한, 자태가 아름다운 대성당 앞으로 나섰다. 야외음악회를 즐기기 위해서다. 낯선 관광객을 환영하듯 아름다운 선율이 크로아티아의 밤하늘을 수놓는다.

트로기르의 밤은 음악에 젖어 있다. 대성당 앞 콘서트는 연주자와 관객의 경계를 허물고 아드리아해에서 불어오는 시원한 바람과 어우러져 마음에 안식을 준다. 꿈결 같은 분위기를 안고 호텔로 돌아와 숙면을 취한 후 한결 가볍고 활기찬 마음으로 아침을 맞는다.

간단한 아침식사를 마치고 다시 거리로 나섰다. 콘서트가 열렸던 대성당 앞에 서니 아침햇살을 받고 서 있는 대성당은 전날과는 다른 느낌이었다. 로마와 고딕 양식 예술작인 트로기르 대성당은 역사적 가치도 충분하지만 시민과 함께한 야외음악회 배경으로 더 기억에 남을 것 같다. 트로기르 전체는 1997년 유네스코 세계유산 역사도시로 선정됐다. 낯선 관광객을 환영하듯 아름다운 선율로 크로아티아 밤을 수놓았던 트로기르를 뒤로하고 다음 목적지인 프리모슈텐으로 향한다.

당나귀 경주, 요트, 바다가 연주하는 오르간… 이색적인 풍경에 빠지다

트로기르에서 삼십여 분을 차로 달리면 프리모슈텐에 도착한다. 1542년 오스만제국의 지배를 받을 때 크로아티아 본토를 연결하는 다리가 건설됐고 작은 섬들 안에 요새와 탑이 건립됐다. 오스만제국이 철수한 이후 다리는 둑으로 대체됐다. 1564년에 크로아티아어로 '다리'를 뜻하는 동사인 '프리모스티티'에서 유래한 이름의 마을이 생겼다. 프리모슈텐의 해변은 유명한데 이곳에서는 매년 여름 당나귀 경주 대회가 열린다. 대회를 알리는 재미있는 깃발들이 마을 입구에 걸려 있다. 이른 아침시간이라 거리는 조용하지만 벌써 해변에는 햇살을 즐기는 사람들이 많다. 해가 뜨거워지기 전 가족들과 함께 나들이를 즐기는 듯하다.

연세 지긋한 할아버지가 신문을 읽다가 눈을 슬쩍 감고 바닷바람을 즐기는 모습을 보니 더할 나위 없이 평화롭다. 인구 3,000명이 되지 않은 동화 속 마을을 지나 쉐베닉으로 떠났다.

차로 삼십여 분을 달리면 쉐베닉에 닿는다. 이곳에는 유네스코세계유산으로 선정된 성 야고보 대성당이 있다. 쉐베닉은 요트의 천국으로도 불리는데, 명성처럼 각양각색의 화려한 요트들이 반겨준다. 요트마다 세계 각국의 국기가 달려 있다. 사람들이 요트를 해안가에 정박시키며 서로 인사를 나누기도 하고 요트를 정비하기도 한다. 차로 즐기는 여행도 즐겁지만 요트로 다니면 어떤 느낌일까, 하는 궁금증이 문득 생겼다. 요트 여행을 하다 다른 정박지에서 헤어졌다가 또 다른 곳에서 우연히 만나며 반가워하는 모습을 보니 이 새로운 형태의 여행이 부럽기도 하다.

차를 마시며 정박해 있는 요트를 바라보다 울퉁불퉁한 대리석 길을 걸어 성 야고보 대성당을 방문했다. 성당은 유난히 흰 대리석으로 지어졌는데 다양한 인물들의 두상이 외벽을 따라 이어져 있다. 71개의 이 두상은 15세기 성당을 지을 당시 시민들의 모습을 담았다. 갖가지 표정의 두상이 낯선 관광객들을 내려다보고 있다. 아름다운 대리석 조각이 가득한 성당을 둘러보고 발길을 돌렸다.

다음 방문지인 자다르는 쉬베닉에서 80㎞ 떨어져 있다. 로마의 식민지가 되기 전에 일리리아인이 세운 도시다. 중세에는 상업과 문화의 중심지였으며 비잔티움 제국

령으로 귀속됐다가 베네치아 공화국의 지배도 받았다. 2차 대전 후 1947년 유고슬라비아령이 됐고, 1991년 크로아티아 독립전쟁에서는 세르비아군의 공격으로 큰 피해를 입었다.

역사의 부침과 달리 건물 차양에 비친 도시의 색감은 평화롭고 아름답다. 푸른 바다빛과 소나무, 올리브 나무의 농담이 그림처럼 어우러져 있다. 자다르의 색다른 점은 특별하고 독특하게 맞아주는 해안가의 음악이다. 바다 오르간 소리로, 바다 오르간은 바닷가 바닥에 관을 뚫고 그 관을 통해 파도가 밀어내는 공기가 소리를 내는 시스템이다.

세계에서 가장 작은 성당과 십자교회도 조금은 낯선 풍경이다. 바닷가에 앉아 바다오르간을 통해 파도가 불러주는 노래를 듣고 있으니 저절로 감상적인 낭만에 젖는다. 한낮의 뜨거운 태양 아래서 듣는 바다의 노래가 여행의 피로를 한순간에 씻겨낸다.

그 소리를 뒤로하고 길을 떠나 리예카에 도착했다. 리예카는 아드리아해에 딸린 크바르네르만과 접한 항구도시다. 아드리아해와 내륙을 연결하는 항구로 이탈리아인들이 많이 살았다고 한다. 그런 이유 때문인지, 이탈리아 관광객이 많아서 그런지, 거리에서 이탈리아어가 많이 들린다. 2차 대전 격전지였지만 전쟁 후 항구시설을 확충해 유고슬라비아 시절 매우 중요한 항구로 성장했고, 현재도 크로아티아 최대 무역항이다. 목적지인 풀라에 가기 전 잠시 카페에 앉아 한 잔의 커피로 휴식을 취한다. 세 시간의 운전이 좀 힘이 들었지만, 그나마 해가 길어 다행이다. 해변을 따라 경치가 달라지고 가는 도시마다 아름다워 그야말로 하루가 꽉 찬 여정이었다.

자그레브와 플리트비체 국립공원

옛 위상 뽐내듯
하늘 끝까지 솟은 첨탑

슬로베니아 수도 류블랴나로 갔다가 다시 달려 크로아티아 수도 자그레브에 도착했다. 멀리서 반짝이던 도심 불빛이 환하게 다가올수록 도로 위 차량도 늘어났다. 예약한 호텔은 도심 한가운데 쇼핑센터와 관광지가 밀집한 곳이라 인근 도로가 붐빈다. 트램 길을 가로질러 중세풍 건물들 사이에서 호텔을 찾았지만 주차장은 호텔 건물이 아닌 다른 곳이란다. 짐을 먼저 내린 뒤 시내 뒷골목 좁은 주차장에 차를 두고 체크인을 마치니, 이미 저녁 늦은 시간이다.

호텔은 오래된 옛 건물을 리모델링했는데, 고풍스럽고 아늑해 여행자의 피로를 달래주었다. 안에 들어서니 중세풍으로 천장이 매우 높다. 푹신한 침대에 몸을 누이니 금세 깊은 잠에 빠져들었다. 다음날 아침, 활기찬 도시 소음 속에 깨어났다. 늦은 아침을 간단히 챙기고 호텔을 나선다. 숙소가 구시가지 중심에 있어서 오 분 정도의 산책만으로 유명한 자그레브 대성당을 볼 수 있었다.

캅톨 언덕 위에 세워진 자그레브 대성당은 1093년 헝가리왕인 라디슬라스가 건설하기 시작해 1102년에 완공됐고, 1217년 성모마리아에게 헌정됐다. 성당 높이가 77m에 이르는 데다 각각 105m, 104m에 이르는 두 개 첨탑이 하늘 높이 솟아 있어 시내

어느 곳에서도 보인다. 5,000명이 동시에 예배를 드릴 수 있을 만큼 규모가 큰 성당이다. 이 성당은 전형적인 고딕 양식의 외형에, 내부는 바로크 양식과 신고딕 양식의 재단 등으로 구성되는 등 아름답고 건축학적 가치가 높아 '크로아티아의 보물'로 불린다. 수세기 동안 훼손과 복구, 증축이 반복되면서 시대별 대표적인 건축양식이 융합됐다. 폭이 좁은 창문 아치는 프랑스 건축 양식과 유사하고, 연속적으로 추가된 둥근 지붕은 독일 건축 양식과 일치한다. 상상력이 풍부한 조각품은 체코 영향을 반영했다고 하니 크로아티아의 국제적 위상과 함께 당시 주교의 지위와 권력까지도 가늠할 수 있다.

발걸음을 돌려 아침 시장에 들렀다. 탐스럽게 익은 과일을 사들고 타워에 올랐다. 자그레브 전경이 한눈에 들어온다. 멀지 않은 곳에 성 마르카 교회가 있다. 구시가지인 그라데츠 성 마르카 광장에 위치한 교회는 1931~1940년에 건설된 중세 스타일의 기념비적인 세르비아 정교회의 예배당이다. 대성당보다 더 인상적인 독특한 문양 지붕은 자그레브의 상징이 됐다. 관광 엽서에서 본 대표적인 격자무늬 타일 모자이크는 사진 그대로다. 지붕 위 두 문장이 각각 크로아티아와 자그레브를 상징한다. 아침시간 관광객이 많지 않아 천천히 둘러보니 단순한 색상 배열만으로도 화려함의 극치를 보여주는 것이 더욱 인상적이다.

길을 걷다 보니 스톤게이트에 도착했다. 구시가지를 감싸는 네 개의 문 중 북쪽 문인 스톤게이트는 단순한 돌문 이상의 의미를 지닌다. 1731년 대화재 당시 성문이 불에 탔으나 성모마리아 그림만 전혀 손상되지 않고 그대로 남아 있었다고 한다. 이후 기적의 그림으로 추앙받으면서 통로 안쪽에 작은 예배당까지 설치됐다. 나중에 덧칠한 왕관마저도 숭고해 보이는 그림 앞에 서니 저절로 경건한 마음이 든다.

격자무늬 타일 모자이크 문양 지붕의 성 마르카 교회.
지붕 위 두 문장이 각각 크로아티아와 자그레브를 상징한다.

　스톤게이트를 지나 광장에 이르렀다. 광장 주변에 있는 대부분의 건물은 비더마이
어에서부터 아르누보, 포스트모더니즘에 이르기까지 다양한 건축 양식을 보여준다.
자그레브 어디에서나 이어진다는 광장에서는 제일 큰 시장이 열리고, 시민들이 만남
의 장소로도 애용하는 곳이다. 광장 서쪽에 있는 '시계 아래' 또는 승마 동상 '말의 꼬
리 아래'라는 표현이 일상적으로 쓰일 정도로 친근한 공간이다.

한편 자그레브라는 지명의 전설을 품은 중심 분수대는 19세기 말까지 식수를 공급한 자연 샘 위에 세워졌다. 아침의 광장은 아주 활기차다. 커피를 손에 들고 출근 준비를 하는 사람들, 아침 시장에서 식료품을 구입하며 서로 안부를 나누는 모습 등이 정겹다. 중요한 성스러운 건물로 꼽히는 세인트 블레이즈 교회와 13세기에 지어진 고딕양식 아시시 성 프란체스코 교회를 모두 둘러보고 호텔로 돌아왔다.

신도 잠시 들렀다 갔을 법한 아름다운 원시림, 플리트비체 국립공원

국내에서 인기 있는 크로아티아 관광지 자그레브를 뒤로하고 두 시간여를 달려 플리트비체 국립공원에 도착했다. 이 공원은 호수, 고산 산림, 폭포, 동굴, 하이킹 코스 등이 모두 유명하다. 열여섯 개의 아름다운 호수는 수많은 폭포로 연결돼 있는데, 공원 전체에 너도밤나무, 전나무, 삼나무 등이 빽빽하게 자라 녹음이 짙은 숲이다. 농담이 다른 옥색 호수와 무지개가 반사되는 계곡, 폭포가 조화롭게 어우러져 마치 신의 정원처럼 원시림의 풍광이 아름답기 그지없다.

이곳에는 18km에 달하는 산책로가 조성돼 있다. 1979년 유네스코 세계문화유산으로 지정될 만큼 환상적인 풍광이다. 플리트비체 국립공원 곳곳을 둘러보려면 3일 정도가 소요된다.

모두 둘러볼 여력이 없어 추천 경로 열 개 중에서 네다섯 시간 걸리는 코스를 선택했다. 녹음이 우거진 울창한 숲속 신비로운 호수를 상류와 하류 부분으로 나누어 걷는다. 상류의 계곡은 호수의 물빛과 울창한 숲의 조화가 신비로웠다. 하류의 조금 작고 얕은 호수는 아기자기한 느낌의 작은 나무들과 어우러져 다른 매력을 선사한다. 걸음

플리트비체 국립공원

에 따라 시시각각 호수 색깔이 달라진다. 옅은 하늘색인가 했더니 밝은 초록색을 띠고 어느덧 청록색으로 바뀌더니, 회색을 비추기도 한다.

한때는 사람의 접근이 어려워 '악마의 정원'이라고도 불렸지만 지금은 쉽게 다가갈 수 있는 아름다운 관광지로 사랑받고 있다. 수많은 관광객이 방문하지만 아직 환경 보전이 잘 돼 있다. 국립공원에 있다는 곰과 늑대를 보지는 못했지만 물가의 곤충들과 새들이 주위를 날아다니며 산책을 함께한다. 자연의 소리를 들으며 야생 오리 떼와 노느라 순간 일행을 놓쳤다.

조심스레 친구 이름을 불렀다. 근처 있을 듯한데 길 따라 차례로 걷는 사람들 등 뒤에서는 잘 보이지 않는다. 낯선 한국 이름이 재미있는지 주위 사람들이 함께 불러준다. 메아리처럼 울리는 친구 이름이 플리트비체에 퍼지고 멀리 흔드는 손을 보니 주위 사람들도 함께 미소를 짓는다. 숲속의 산책길을 즐기며 하루가 저물어 간다.

Slovenia
슬로베니아

오스트리아
Austria

블레드
Bled

류블라냐
Ljubljana

포스토이나
Postojna

슬로베니아
Slovenia

자그레브
Zagreb

크로아티아
Croatia

풀라
Pula

슬로베니아

풀라와 포스토니아

성모마리아 승천성당의 종이 울리면
"소원을 말해봐"

아드리아해 항구도시 리예카를 떠나 해안가를 한 시간 삼십 분을 달려 풀라에 도착했다. 숙소는 호텔이 아닌 가정집 별채다. 시내 번화가가 아니라 주택지라서 찾는 데 어려움을 겪었다. 주인집 딸이 골목 입구까지 나오는 친절을 베풀어 주었다. 가족 모두 나갈 채비를 하고 있었는데, 시내에서 열리는 야회 음악회를 갈 예정이라고 한다. 함께 가자고 청한다. 하지만 우선 식사를 하고 싶어서 풀라에서 가장 좋은 식당을 추천해달라고 부탁한 후, 나중에 합류하기로 했다.

짐을 정리하고 여행에 지친 남루한 차림새를 벗고 깔끔하게 차려입고 식당으로 향했다. 식당에 들어서니 우아한 차림의 사람들이 가득하다. 식당 분위기를 보니 관광객보다는 지역 사람들이 좋아하는 곳 같다. 입구에는 우리나라 식당처럼 이곳을 방문한 유명인 사진이 걸려 있다. 직원이 친절한 미소로 반긴다. 이탈리아에서 멀지 않은 풀라는 크로아티아 이스트라반도 최남단에 있는, 이스트라반도에서 가장 큰 도시다. 와인과 음식이 유명하다는 말을 듣고 특별한 식사를 즐기러 왔다고 설명하니 직원이 세심하게 안내한다. 추천한 화이트 와인으로 풀라에서의 멋진 식사를 시작한다.

식사를 마치고 돌아오는 길에 마을 광장에서 열리는 야외음악회에 들렀다. 숙소를 내어 준 주인집 가족들 곁에 앉아 밤하늘에 조용히 퍼지는 클래식의 향연을 감상하니 고향의 품속처럼 포근하다. 이방인을 따뜻하게 맞아주는 주민들의 환대에 감사하며 늦은 밤 숙소로 돌아와 편안한 잠자리에 들었다.

아침 일찍 창가에 스며든 햇볕이 따스하다. 지난밤 와인 향기에 젖은 포만감과 음악회의 포근함으로 여행 피로를 덜어내고 깊게 잠들었다. 온화한 기후와 푸른 바다 내음, 숙소 마당에 어우러진 나무들을 바라보니 자연의 품 안에 있는 듯하다. 오랜 전

풀라 아레나 원형 경기장은 로마 콜로세움과
같은 시대에 지어졌다.

통을 가진 포도주 양조업과 어업이 발달해 있어서, 음식과 와인이 근사하게 어우러진 식사를 경험할 수 있었다.

간단한 아침으로 일과를 시작하며 시내로 향했다. 야외음악회로 흥겨웠던 전날 밤과는 달리, 시내는 새신부같이 수줍은 모습이다. 관광지로 가장 유명한 곳은 풀라 아레나. 한때 검투사 싸움터였던 이 원형경기장은 로마 콜로세움과 동시대에 건축됐다고 한다. 당시 약 2만 명의 관객을 수용했는데, 오늘날까지도 보존이 매우 잘된 고대 원형극장의 하나다. 지금도 영화제, 콘서트, 오페라, 발레, 스포츠 대회 등 다양한 행사가 열리는데, 5,000여 명의 관람객을 수용할 수 있다고 한다.

자연이 빚어낸 종유석 동굴에서 인간의 문화를 향유하고

원형경기장을 떠나 포스토이나로 향했다. 두 시간여를 달려 슬로베니아의 대표적인 관광지 포스토이나 동굴에 도착했다. 이른 아침부터 관광객이 줄을 서있다. 전체 길이가 2만 570m에 달하는 거대한 카르스트 동굴로 슬로베니아의 가장 큰 동굴이다. 동굴에는 홀과 통로가 있어서 열차를 타고 동굴 안을 둘러볼 수 있다. 콘서트장과 회의실도 갖추고 있을 정도로 규모가 크다. 슬로베니아 석회암 지대 동굴은 1,000개가 넘는다. 석회암이 지하수에 녹아 대규모 동굴을 형성하는 카르스트 지형도 슬로베니아의 크라스(Kras) 지역을 일컫는 독일어에서 유래했다고 한다. 머리 위로 떨어진 물방울을 맞고 축축한 습기를 느끼며 자연이 빚어낸 아름다운 종유석을 바라보니 카르스트 지형을 대표하는 포스토이나에 와 있다는 게 실감난다.

지하 세계에 조명을 받은 각양각색의 아름다운 종유석이 펼쳐져, 마치 우주의 다른 행성에 와 있는 신비로움을 느끼게 해준다. 한 시간 가량 지하세계를 여행하고 나오니, 근처 공원 앞에서 바삭하게 구워진 통돼지 구이가 관광객의 식욕을 자극한다. 통돼지 구이로 점심을 해결하고 블레드로 향했다.

아직 지하 세계의 신비함에서 깨어나지 못하고 있는데, 어느새 아름다운 호수 전경이 이방인을 맞는다. 포스토이나에서 한 시간 거리에 있는 블레드는 슬로베니아를 대표하는 관광지다. 빙하 활동으로 형성된 블레드호수와 블레드성으로 유명하다. 온난한 기후 때문에 예전부터 유럽 귀족들의 사랑을 받던 지역으로 오늘날까지 전 세계의 관광객들로 넘쳐난다. 최근에는 한국 드라마 촬영지로도 알려져 한국인 관광객들도 많이 찾아오고 있다. 호수 안에 있는 섬에는 성모 마리아 승천 성당이 있다. 성당의 종이 울릴 때 소원을 빌면 이루어진다는 얘기가 전해진다.

독일의 크림 케이크에서 유래한 슬로베니아 크림 케이크, 크렘나 레지나를 커피 한 잔과 맛보니 평화로운 풍광과 어우러져 더없이 달콤하다. 이 달콤함이 오후의 피로를 덜어줘 기운을 내서 성에 오를 수 있었다. 산책 겸 돌길을 밟고 오르니 그림 같은 블레드 호수의 전경이 마음을 정화해준다.

블레드를 떠나 사십 분쯤 지나 슬로베니아의 수도 류블랴나에 도착했다. 르네상스

와 바로크 양식으로 꾸민 건물 외관, 둥근 천장이 있는 건축물이 즐비한 구시가지 중심가에 들어선 순간 도시의 매력에 흠뻑 빠져든다. 그동안 보아 왔던 수많은 바로크 양식 교회와 궁전과는 색다른 우아함이 깃들어 있다. 도시 구석구석 예술품이 가득해 도시 전체가 위대한 예술가의 작품 같다.

성도 많고, 그보다 더 많은 교회가 있는 도시 류블랴나는 1997년 5월에 유럽의 문화 수도로 선정됐다. 과거와 현재가 잘 어우러진 덕분이리라. 류블랴나 시민들이 사랑하는 시내 커피 하우스에서 여유로운 시간을 즐긴다. 향긋한 커피향이 도시를 감싸고 관광객에게는 낭만을 선물한다. 작은 갤러리와 개인 상점이 많이 있는 구시가지에서 류블랴나의 매력을 맘껏 누렸다.

Bosnia

보스니아

크로아티아
Republic of
Croatia

플리트비체
Plitvice

베오그라드
Beograd

보스니아 헤르체고비나
Bosnia Hercegovina

세르비아
Serbia

사라예보
Sarajevo

모스타르
Mostar

몬테네그로
Montenegro

헤르체고비나
무너진 다리…
내전의 아픔 딛고 사람을 잇다

예상보다 시간이 많이 걸렸다. 크로아티아 플리트비체에서 보스니아–헤르체코비나 모스타르(Mostar)까지는 350㎞ 거리로 네 시간이 넘도록 꼬박 운전해야 했다. 해안을 따라 남쪽으로 되돌아오는 길, 아름다운 풍광이 어둠에 가려지면서 잠깐 두려움이 앞섰다.

호텔에 전화하여 늦은 밤 도착할 거라 미리 이야기해두었지만, 야간운전이 쉽지 않아 예상보다 더 늦어졌다. 마음은 초조한데 네비게이션은 엉뚱한 길로 안내한다. 한

치 앞을 보기 어려우니 이 길이 맞는지 확인할 길이 없다. 다른 방도가 없어 낭떠러지 같은 길을 따라 달린다. 비탈진 길을 달리니 차가 몹시 덜커덩거리며 흔들린다. 퉁탕거리는 소리를 들으며 언덕 아래 도착하니 옛 철길 같은 선로 옆이다. 다행히 불빛들이 모여 있다. 불빛이 보이는 곳으로 가보니 예약한 호텔이 지척이다. 걱정했던 것보다 길을 잘 찾은 셈이다.

주차장에 차를 세워놓고 호텔 안으로 들어서니, 아름다운 아가씨가 걱정했다며 반갑게 맞이한다. 순간 긴장감이 풀리고 굳어진 얼굴에 미소가 떠오르려는 찰나, 멈칫했다. 프런트 데스크 뒤 사무실에서 한 남자분이 나왔는데, 하얀 윗옷에 한쪽 팔이 없다. 당황한 표정을 들키지 않으려고 애쓰는 게 보였는지 아가씨가 아빠라 소개한다. 밝게 웃으며 '모스타르의 역사를 알지?'라고 눈으로 말하며 서류를 작성한다. 아름다운 중세도시 모스타르를 할퀴었던 내전의 아픔이 고스란히 전해지는 듯하다. 얼른 열쇠를 받아들고 방으로 향했다.

다음날 아침, 깊은 잠에서 깨어나 창문을 여니, 지난밤에는 볼 수 없었던, 고즈넉한 석조건물이 가지런한 중세도시의 풍경이 펼쳐진다. 간밤에 만난 가족들의 서비스를 받으며 아침식사를 한다. 가족이 경영하는 작은 호텔이라 그런지 더 살뜰하다. 아버지의 환한 웃음이 바람에 흔들리는 옷소매도 잊게 한다.

동서양의 문명이 만나고 헤어진

유럽 동남쪽에 있는 하트 모양의 땅 보스니아–헤르체고비나는 동서양 문명이 만나고 충돌한 길고 매혹적인 역사를 품고 있다. 우리에게 '보스니아'로 익숙한 이 나라는 5

만㎢가 조금 넘는 규모로, 물을 의미하는 고대 인도유럽어 '보사나(Bosana)'에서 그 이름이 유래했다고 한다. 동쪽과 남동쪽은 세르비아와 몬테네그로, 북쪽과 서쪽은 크로아티아와 접한다. '보스니아'와 '헤르체고비나'는 민족보다는 지명을 지칭하는 말로, 이 나라는 보스니아인 · 세르비아인 · 크로아티아인, 세 민족이 대부분을 차지하고 있다.

　이곳은 정치적으로 보스니아인과 크로아티아인 중심의 보스니아-헤르체고비나 연방과 세르비아인 중심의 스릅스카 공화국으로 사실상 나뉘어 있다. 옛 유고슬라비아 사회주의 연방공화국을 구성하는 여섯 개 공화국 가운데 하나였는데, 1990년대 유고슬라비아 전쟁 시기에 독립했다.

　모스타르는 보스니아-헤르체고비나에 있는 가장 중요한 도시다. 네레트바강 깊은 계곡에 우뚝 솟은 역사적인 도시로, 옛 터키 양식 주택과 '스타리 모스트(Stari Most)'라는 오래된 다리가 유명하다. 세계에서 가장 아름다운 다리 중 하나로 꼽히는, 아

도시 전체에 오스만제국 이전 건축,
동오스만제국 건축,
지중해와 서유럽 건축양식 등이
어우러져 있다

치형 석조다리 스타리 모스트는 15~16세기 오스만제국 전초기지로 건설됐고, 19~20세기 오스트리아-헝가리 제국 시대에 현재의 모습으로 발전했다.

스타리 모스트 다리

그러나 불행히도 이 다리는 1993년 11월 트리아티아군의 대규모 공격에 심하게 손상됐고, 이후 포격으로 완전히 파괴되었다. 보스니아-헤르체고비나 정부는 다리가 무너진 9월 11일을 국가 기념일로 정했다. 다행히 유네스코의 지원으로 다리를 복원, 2005년 세계역사문화유산에 등재되었다. 이 다리를 중심으로 도시 전체에 훌륭한 문화유산이 많다. 오스만제국 이전의 건축, 동오스만제국 건축, 지중해와 서유럽 건축양식 등 여러 문화가 어우러져 있다. 특히 오늘날에도 국제적인 협력과 다양한 문화·민족·종교적 공동체의 공존과 화해의 상징으로 거듭나고 있다.

1993년, 탱크 포격으로 다리가 붕괴되었을 때 현장에 있었다는 호텔 주인 아저씨는 심장을 찢는 아픔이었다고 당시를 회상했다. 이곳 사람들은 네레트바강 바닥에 잠긴 다리 조각과 함께 그 고통을 눈물로 묻었다고 한다. 지금은 지나간 역사로 묻혀져 아무 일 없는 듯 관광객이 오가지만, 이곳 사람들에게 이때의 아픈 역사는 '심장에 가둔 돌'이다.

빛나는, 밝은 톤의 돌다리에는 관광객들이 넘쳐난다. 한편 다리 위에서는 다른 이들의 시선을 즐기며 용감하게 강 아래로 몸을 던지는 이들이 있다. 강 아래에서는 탄성과 환호가 터져나온다. 다리 위에서는 용감한지 무모한지 분간이 어려운, 강 아래로 뛰어내리려는 젊은이들을 말리는 소리, 부추기는 소리로 시끌벅적하다. 큰 물소리가 웅성거림을 잠재우는 순간, "와아!" 하는 탄성이 솟구친다. 누군가 또 강으로 뛰어내린 모양이다. 여름철 다리 위에서는 젊음의 치기와 역사를 감상하는 이들로 북적인다. 실제로 24m 높이 다리 위에서 강으로 뛰어내리는 대회도 있다고. 1664년 처음 개최됐는데 다리를 복원한 이후 지금까지도 계속 열리고 있다고 한다.

진초록빛 강물이 '풍덩'하는 소리와 함께 빛에 반사된 물보라가 사방으로 튀어오른다. 흰색 다리 위 돌담길은 그 물보라의 빛깔에 따라 다양하게 바뀐다. 이 다리는 하루 동안에도 몇 번씩이나 빛깔이 달라진다고. 스타리 모스트는 지나간 세월의 무게를 잊고 지금도 묵묵히 이곳에서 저곳으로 사람들을 건너게 해준다.

구시가지를 벗어나 모스타르의 볼거리들을 찾아 걸었다. 이 돌로 된 도시의 거리에는 무역소와 공예품 건물이 자리잡고 있으며, 목재나 석재로 만든 상점과 창고들이 죽 들어서 있다. 강가 옆 카페에 앉아 사람들의 웃음소리에 가려진 돌담의 역사를 생각하다보니, 어느새 날이 저물었다.

24m 높이 다리 위에서 강으로 뛰어내리는 대회가 1664년부터 지금까지 개최되고 있다.

수도 사라예보
날카로운 총성 대신 웃음소리 울려 퍼지다

스타리 모스트 다리 위로 해가 뉘엿뉘엿 넘어간다. 눈물을 애써 참는 빨간 눈처럼 하늘이 붉게 물든다. 전쟁의 아픈 기억은 사라지고, 가슴에 아로새긴 교훈은 오래 기억되기를 바래본다. 모스타르를 뒤로하고 보스니아 헤르체고비나 수도 사라예보로 향한다. 모스타르에서 130㎞, 동북쪽으로 두 시간 정도 운전하니 보스나강 지류인 밀랴츠카 강이 보인다.

사라예보 암살 사건이 일어난 라틴교

드디어 사라예보 시내로 들어섰다. 혹시 저 멀리 보이는 다리가 1차 대전의 계기가 됐던 사라예보 암살사건이 발생한 라틴교일까? 순간, 도시의 화려함보다 역사적 한 장면이 떠오르며 어깨에 소름이 내려앉는다. 하늘은 어느새 컴컴한 어둠으로 덮이고 거리는 가로등 불빛과 차량 헤드라이트로 반짝인다. 두근거리는 마음은 사라예보 호텔에 도착하여 체크인하는 순간까지 가라앉지 않는다.

1461년 오스만제국에 의해 세워진 이래 긴 역사를 자랑하는 사라예보는, 오스트리아-헝가리 제국 프란츠 페르디난트 황태자가 암살되어 1차 대전의 시발점이 된 역사적 현장이다. 우리나라에는 1973년 이 에리사가 주축이 된 세계탁구선수권 대회 단체전 우승으로 알려진 도시이기도 하다. 1984년에는 동계올림픽 개최지로 세계적으로 주목을 받았으나 불과 8년 뒤에는 근대 역사상 가장 오랫동안 포위되었던 전쟁터이기도 했다. 참혹했던 당시 전쟁은 뉴스를 통해 내 기억 속에도 자리하고 있다. 그 현장에 있었던 지인들의 마음속에도 있다. 시간이 흘렀지만 그 모든 것을 기억하는 도시 한구석에서 마음을 진정시키며 첫날밤을 맞이한다.

말하고 또 말해도 아픔은 남지만

아침 식당 모습은 여느 호텔과 다를 바 없다. 비즈니스 정장 차림 사람들과 관광객들이 어우러져 여유롭게 식사를 즐긴다. 호텔 로비에 잠시 앉아 가이드를 기다리기로 했다. 어제와는 다른 느낌의 사라예보. 역사학을 전공했다는 가이드는 호텔을 나서며 간단한 인사를 건네고 보스니아에 대해 설명하기 시작한다. 역사적인 현장을 마주하던 노란색 홀리데이 인 호텔 건물을 지나 대로를 따라 걸으면 오늘날의 사라예보를 만

사라예보의 총탄 흔적이 남아있는 건물들

날 수 있다. 폭격으로 무너진 흔적은 전쟁의 상흔
을 딛고 현대적인 건물들로 재탄생하고 있다. 스
카이라인을 따라 전쟁을 기억하게 하는 말리공원
(Mali Park)와 벨리키(Veliki Park) 공원을 지난다.

가이드는 조각상과 기념비마다 멈춰 서서 설명
을 한다. 얼마나 관광객들에게 설명을 했을까? 그
럼에도 불구하고 그의 목소리에는 미묘한 떨림이
묻어난다. 전쟁으로 가족을 잃은 슬픈 얘기와 어
린아이들의 사연을 듣고 있으니 마음이 무거워진
다. 대로에서 들려오는 차량 경적 소리가 그날의
비명처럼 느껴진다.

2차 세계대전 희생자들을 기리기 위한
'영원히 꺼지지 않는 불꽃'

길 따라 걸으니 2차 대전 희생자를 기리기 위해
조성된 '영원히 꺼지지 않는 불꽃' 앞에 당도한다.
유고슬라비아 시민군을 기리는 영원한 불꽃 기념탑은 변함없이 타오르고 있다. 가이
드의 설명이 보스니아 전쟁을 지나 오늘의 사라예보로 이어진다. 시내를 바삐 걸어가
는 활기찬 시민들 모습이 그제야 눈에 들어온다. 체스를 두거나 공원에서 휴식을 즐기
는 사람들이 보인다. 그들을 지나쳐 구시가지에 들어선다. 수많은 모스크와 성당을 뒤
로하고 어제 도시에 들어서자마자 가장 먼저 떠올랐던 라틴교로 향한다.

라틴교는 사라예보를 흐르는 밀랴츠카 강에 놓인 다리다. 오스만제국 시대에 건
설된 다리로, 1차 대전의 도화선인 사라예보 암살 사건의 역사적 장소다. 가이드는 1

차 대전을 촉발한 프란츠 페르디난트 대공의 암살, 그날의 역사적 사건을 상세히 설명한다. 한발의 총성으로 촉발된 전쟁은 수년 동안 900만 병사의 목숨을 앗아갔으며 수많은 이들의 삶의 터전을 파괴했다. 전쟁의 참상과 이로 인한 고통을 생각하며 다리 주변을 맴돌다 구시가지로 다시 돌아왔다.

바슈차르시야 광장 주위에는 1400년대부터 내려오는 유서 깊은 시장이 자리하고 있다. 오늘날에도 여전히 문화적 명소인 이곳에서는 식사와 쇼핑을 즐길 수 있다. 또한 1532년에 완공된 보스니아 헤르체고비나 최대 이슬람 사원이자 발칸 제국의 주요 오스만 건물 중 하나인 가지 휘스레브베그 모스크부터 예수 성심 성당까지 다양한 역사와 문화를 접할 수 있었다. 성당은 프랑스 디종의 노트르담 대성당과 프라하 성테인 대성당에서 영감을 얻어 지어졌다고 한다. 다른 종교 건축물이지만 주위 이슬람 사원과 오스만 건축물들과 낯선 느낌 없이 조화롭게 어우러져 구시가지 관광명소로 자리잡았다. 교회 내부는 유명 화가의 프레스코화가 풍요롭게 장식되어 있다. 이어서 20세기 초 대주교의 무덤, 전쟁이 끝난 1997년 사라예보를 방문해 평화와 관용의 메시지를 전한 교황 요한 바오로 2세 동상 모두 사라예보의 역사를 품고 있다.

굿바이 발칸,
'네 이웃을 사랑하라' 는 말을 가슴에 담다

뿌듯한 마음으로 선물 포장을 가방에 넣고 사라예보 상징 중 하나인 세빌리 분수 근처를 걸었다. 비둘기도, 관광객도 많이 모여 있다. 단체 관광을 하는 학생들이 분수를 배경으로 사진을 찍느라 여념이 없다. 오가는 사람들의 모습도 평화로운 관광지의 풍경을 더하고 있다.

1532년에 완공된 보스니아 헤르체고비나 최대 이슬람 사원

사라예보, 다양한 문화 속 아픈 역사

사라예보는 다양한 문화가 만나 독특한 문화를 만들어낸다. 오스만제국, 오스트리아─헝가리 제국, 유고슬라비아 같은 위대한 제국들의 통치를 받으며 여러 역사적 흔적을 간직하게 된 도시이기도 하다. 다양한 종교가 모두 관용되는 사회라는 것은 100m 반경 안에 여러 사원과 성당이 공존하는 모습을 보면 알 수 있다. 성가와 이슬람 기도가 함께 울리는 이곳에 어쩌면 우리가 모르는 다른 진실이 있을 것 같다. 오래된 마을이 간직한 역사, 그리고 친근한 사람들. 도시 한편에서 그들의 영혼을 느끼며 호텔로 향한다.

아침에 만난 가이드는 사라예보의 찬란한 문화유산과 아픈 역사를 성심껏 설명한다. 돌아오면서 그 아픈 역사를 새겼다. 내전 당시 무차별적인 저격이 이뤄졌다는 저격수의 골목이 있다. 이곳을 지나 현대적인 건물들을 바라보며 새로운 사라예보를 마주한다.

사라예보에 건설된 가장 호화로운 건물 중 하나인 보스니아 헤르체고비나 국립대학 도서관은 내전 시기 화염에 휩싸이며 사라예보의 공포와 비극의 상징이었는데, 재건되었다. 그밖에 주요 건물들과 쇼핑센터 등이 새롭게 들어서면서, 보스니아는 정치적 안정과 경제성장을 통해 새롭게 성장해 왔다. 동구권 건축물보다 훨씬 개방적인, 서유럽 스타일에 가까운 사회주의 유고슬라비아 모더니즘 스타일이 오늘날의 사라예보를 이끌고 있다.

전쟁은 잊지 않았는데 교훈은 잊어버린

총성은 멎었지만 깊은 상처를 안은 보스니아를 구성하는 민족은, 보스니아인과 세르비아인, 크로아티아인이다. 공식 언어 역시 크로아티아어, 보스니아어, 세르비아어다. 언어는 같지만

구시가지 풍경

공식적으론 서로 다르게 분류되어 내전 뒤엔 세르
비아어와 크로아티아어로 나뉘어졌다. 같은 언어
를 말하는 사람들을 종족에 따라 서로 다른 언어라
고 일컫는 현실이다. 문자도 세르비아계와 무슬림
의 키릴 문자, 크로아티아계의 라틴 문자가 혼용된
다. '세 개의 종족, 두 개의 문자, 하나의 나라', 보스
니아 헤르체코비나! 비이성적 종족갈등이 인간 이
성의 한계를 넘어 어떤 극단적 사태로 이어질 수 있는지를 보여준 현장이 바로 사라예보이다.

제1차 세계대전 직후인 1918년 국제사회가 발칸 남부의 여러 슬라브족을 합쳐 만들어준 나라 유고슬라비아는 사라지고 이제는 분리되고 독립된 발칸을 여행하며 많은 생각이 들었다. 발칸 여행은 아름다운 풍경사진 한 장으로 설렘을 갖고 준비되었지만 피터 마쓰의 '네 이웃을 사랑하라'는 책을 읽으며 전쟁의 아픔에 대해 많은 것을 생각하게 하는 여행이 되었다. 워싱턴 포스트 특파원이 경험한 생생한 유고 내전의 체험담이 섬뜩하여 잠 못 이루게도 했지만 여행의 기대감도 갖게 했다. 이제 여행을 마치며 저자 글들이 떠오른다. 세계는 아직 전쟁을 잊지 않았지만 이미 그 교훈은 잊어버린 것은 아닌가.

발칸은 오랜 전쟁의 아픔에도 여전히 아름다운 자연과 유구한 역사, 찬란한 문화로 기억된다. 아드리아해의 푸르고 아름다운 바다와 발칸 산맥의 웅장함이 조화를 이루는 그곳에는 아름다운 사람들이 새로운 문화와 역사를 꿈꾸고 있었다. 동서양의 접경에서 종교와 문화가 융화되고 사람들이 함께 어울리며 살아가는 그곳이 우리 인류의 현재이자 미래는 아닐까.

여행설계자 박윤정의 여행 안내서

나도 한번은
발트3국 · 발칸반도

2022년 6월 20일 초판 발행

지은이 | 박윤정
펴낸이 | 김지나
편집 | 김소담
디자인 | 전선애
마케팅 | 이재훈
펴낸 곳 | 트라이브즈
주소 | (03174) 서울시 종로구 자하문로 37-1, 2층
전화 | 02-322-1848(편집부) 02-558-1844(마케팅)
팩스 | 02-558-1847
E-mail | eurekaplus@daum.net
출판등록 | 2005년 11월 8일
등록번호 | 제16-3757

값 18,000원
ISBN 979-11-92113-24-1